KB095478

NEW
서울대 선정
인문고전
60선

41
논어

NEW 서울대 선정 인문 고전 ㊶

논어

개정 1판 1쇄 발행 | 2019. 8. 21
개정 1판 4쇄 발행 | 2024. 6. 10

서기남 글 | 신명환 그림 | 손영운 기획

발행처 김영사 | 발행인 박강휘
등록번호 제 406-2003-036호 | 등록일자 1979. 5. 17.
주소 경기도 파주시 문발로 197 (우10881)
전화 마케팅부 031-955-3100 | 편집부 031-955-3113~20 | 팩스 031-955-3111

값은 표지에 있습니다.
ISBN 978-89-349-9466-4
ISBN 978-89-349-9425-1 (세트)

좋은 독자가 좋은 책을 만듭니다. 김영사는 독자 여러분의 의견에 항상 귀 기울이고 있습니다.
전자우편 book@gimmyoung.com | 홈페이지 www.gimmyoungjr.com

이 도서의 국립중앙도서관 출판예정도서목록(CIP)은 서지정보유통지원시스템 홈페이지(http://seoji.nl.go.kr)와
국가자료종합목록시스템(http://www.nl.go.kr/kolisnet)에서 이용하실 수 있습니다. (CIP제어번호 : CIP2018042963)

| 어린이제품 안전특별법에 의한 표시사항 | **제품명** 도서 **제조년월일** 2024년 6월 10일
제조사명 김영사 **주소** 10881 경기도 파주시 문발로 197 **전화번호** 031-955-3100 **제조국명** 대한민국
사용 연령 10세 이상 ⚠**주의** 책 모서리에 찍히거나 책장에 베이지 않게 조심하세요.

미래의 글로벌 리더들이 꼭 읽어야 할 인문고전을 만화로 만나다

주니어김영사

| 기획에 부쳐 |

〈NEW 서울대 선정 인문고전60〉이 국민 만화책이 되기를 바라며

제가 대여섯 살 때 동네 골목 어귀에 어린이들에게 만화책을 빌려주는 좌판 만화 대여소가 있었습니다. 땅바닥에 두터운 검정 비닐을 깔고 그 위에 아이들이 좋아하는 만화책을 늘어놓았는데, 1원을 내면 낡은 만화책 한 권을 빌릴 수 있었지요. 저는 그곳에서 만화책을 보면서 한글을 깨쳤고 책과의 인연을 맺었습니다.

초등학교 때는 용돈을 아껴서 책을 사서 읽었고, 중학교 때는 학교 도서 반장을 맡아 도서관에서 매일 밤 10시까지 있으면서 참 많은 책을 읽었습니다. 그 무렵 헤밍웨이의《노인과 바다》를 손에 땀을 쥐며 읽으면서 인생에 대해 고민했고, 헤르만 헤세의《수레바퀴 아래서》를 읽으며 사춘기의 심란한 마음을 달랬습니다. 김래성의《청춘 극장》을 밤새워 읽는 바람에 다음 날 치르는 중간고사를 망치기도 했습니다.

당시 저의 꿈은 아주 큰 도서관을 운영하는 사람이 되어 온종일 책을 보면서 책을 쓰는 작가가 되는 것이었습니다. 나이가 들고 어느 정도 바라는 꿈을 이루었습니다. 큰 도서관은 아니지만 적당한 크기의 서점을 운영하고, 글을 쓰는 작가가 되었거든요. 저는 여기에 새로운 꿈을 하나 더 보탰습니다. 그것은 즐거운 마음과 힘찬 꿈을 가지게 해 주고, 나아가 자기 성찰을 도와주는 좋은 만화책을 만드는 일이었습니다. 이렇게 해서 만든 책이 바로 〈서울대 선정 인문고전〉입니다. 서울대학교 교수님들이 신입생과 청소년들이 꼭 읽어야 할 책으로 추천한 도서들 중에서 따로 60권을 골라 만화로 만든 것입니다. 인류 지성사의 금자탑이라고 할 수 있는 고전을 보기 편하고 이해하기 쉽도록 만화책으로 만드는 일은 쉬운 일은 아니었습니다. 약 4년 동안에 수십 명의 학교 선생님들과 전공 학자들이 원서의 내용을 정확하게 전달할 수 있도록 밑글을 쓰고, 수십 명의 만화가들이 고민에 고민을 거듭하면서 만화를 그려 60권의 책을 만들었습니다.

〈서울대 선정 인문고전〉이 완간되었을 무렵에 우리나라에 인문학 읽기 열풍이 불기 시작했습니다. 〈서울대 선정 인문고전〉은 인문학 열풍을 널리 퍼뜨리는 데 한몫을 하면서 독자들의 뜨거운 사랑과 관심을 받았습니다. 덕분에 지금까지 수백만 권이 팔리는 베스트셀러가 되었습니다. 그 사랑에 조금이나마 보답을 하기 위해 《칸트의 실천이성 비판》, 《미셸 푸코의 지식의 고고학》, 《이이의 성학집요》 등 우리가 꼭 읽어야 할 동서양의 고전 10권을 추가하여 만화로 만들었습니다.

〈서울대 선정 인문고전〉은 어린이와 청소년이 부모님과 함께 봐도 좋을 만화책입니다. 국민 배우, 국민 가수가 있듯이 〈서울대 선정 인문고전〉이 '국민 만화책'이 되길 큰마음으로 바랍니다.

손영운

《논어》에서 만나는 인간적인 공자의 참 모습!

중학교 도덕 교과서를 시나리오로 영화를 만든다면 주인공은 누가 될까요? 여러 인물들이 주인공의 자리를 두고 쟁탈전을 벌이겠지만, 아마 '공자'가 주인공으로 캐스팅될 것입니다. 왜냐하면 공자는 '인물 학습', '명언', '동서양 고전 탐구' 뿐만 아니라, 인간 존중, 관용, 예절, 우정, 심지어 진학 선택과 관련된 내용에까지 인용되기 때문이랍니다.

대부분의 영화에서 주인공은 사랑받고, 사람들의 인기를 끌지만, 안타깝게도 공자는 학생들에게 별로 인기 있는 주인공은 아니랍니다. 공자의 이름은 알지만 그가 어떤 사람인지 자세히 알지 못하고, 그의 사상을 담은 《논어》는 안 읽어 본 게 당연할 정도로, 학생들이 좋아하는 책이 아니니까요.

그래도 학생들의 머릿속에 공자는 어떤 이미지를 가지고 있습니다. 학생들이 생각하는 공자는 많이 고리타분한 사람, 당연한 말씀이지만 오늘날에는 크게 도움이 될 것 같지 않은 말씀만 하시는 사람, 예절 같은 것을 엄청 좋아하는 사람 등등. 어쨌든 옛날 사람이지요.

그중 똑똑하고 책 좀 읽었다는 학생들은 자신을 하루 종일 학교로 학원으로 다람쥐 쳇바퀴 돌리듯하며, 공부에 시달리게 하는 우리 사회의 '학벌 중심' 이 공자로부터 비롯되었다는 것을 눈치 채고 있습니다. 똑같은 '성인' 인데, 예수가 기독교인이 아닌 사람들에게도 좋은 이미지를 갖고 있는 것과는 참 대조적입니다.

《논어》 속의 공자는 예수처럼 하나님의 아들도 아니고, 여러 곳에서 기적을 행하지도 않습니다. 《논어》 속의 공자는 나와 비슷한 인간적인 모습입니다. 그래서 저는 《논어》에서 인생을 살아가는 지혜를 배웁니다. 공부는 어떻게 해야 하는지, 친구와의 관계는 어떠해야 하는지, 어려움에 처했을 때 어떤 선택을 해야 하는지 등의 문제에 부닥쳤을 때, 저는 《논어》의 글귀를 떠올립니다. 공자의 말씀이 항상 나의 생각과 일치하거나, 절대불변의 옳은 것이라고 생각하지는 않지만, '아 그렇지!' 하면서 무릎을 치게도 하고, 생각거리를 제공해 주기 때문입니다.

또 우리 사회에서 상식으로 통하는 생각들이 공자의 《논어》에서 비롯된 것이 많음을 발견할 수 있습니다. 공자의 생각이 우리 사회에 모두 좋은 영향을 끼친 것은 아니지만, 우리 사회의 뿌리가 무엇인지 알고, 그것을 오늘날에 비추어 다시 생각하는 것이 《논어》를 읽는 즐거움입니다.

서기남

공자가 내게 주는 삶의 지표를 담은 선물, 《논어》

우리는 흔히 오래되어 고리타분하거나 재미없고 따분한 이야기를 말할 때 '공자 왈 맹자 왈' 이라는 표현을 씁니다. 저 또한 마찬가지로, 공자하면 떠오르는 이미지나 생각이 '격식만 따지고 고루하다.' 는 편견에 가까웠습니다. 그래서 처음 작업 의뢰를 받았을 때, 많은 책 중에 《논어》를 선택한 것은 '그래, 얼마나 공자님 말씀이 재미없는지 한번 도전해 보자.' 하는 마음이 컸습니다. 그런데 이게 웬일입니까? 처음에는 따분하고 지루할 것 같던 '공자 왈' 속의 길에서 공자의 인생과 만나고 공자의 초라한 출생과 인생 역정들을 따라 걷다 보니, '공자 왈' 이 그저 그런 잔소리가 아닌, 공자가 평생에 걸쳐서 공부하고 실천하려고 했던 깨달음의 말들이고 공자가 제게 주는 삶의 지표들을 담은 선물이었습니다.

사실 《논어》를 만화로 바꾸는 작업을 시작해서 끝을 맺기까지 꽤 많은 시간이 흘렀고 그동안 정치적으로는 정권도 바뀌고 세계 경제가 불황에 시름하고 만화계는 '한국 만화 100년' 이 되는 해로 바쁜 나날이었습니다. 그래서 시작할 때는 크게 다가오지 않던 '공자 왈' 이 원고가 끝나갈 때쯤에 많은 사건 사고들과 함께 이 시대를 이끌어가던 분들의 슬픈 소식 앞에 큰 울림으로 다가오기도 했습니다.

《논어》를 작업하고 난 후, 배우고 기뻐하는 데 그치지 않고 실천을 이야기하던 '공자 왈' 이 실천은 없고 탁상공론만 일삼으며 몇 마디 말씀만 외워서 잘난 체하는 사람들의 언행을 비꼬는 말로 쓰이는 것이 안타까울 뿐이었습니다. 저는 그런 사람들에게 이 《논어》를 소개하고 싶습니다. '공자 왈' 이 더 이상 문자 좀 쓰는 사람들의 자랑거리가 아니라 몸으로 행동으로 배운 걸 실천하라는 말씀이란 걸 보여주고 싶기도 하고요. 그래서 이 책이 어렵고 따분한 이야기일 것만 같은 《논어》가 아닌 재미나고 만나기 쉬운 친근한 《논어》로서 좀 더 많은 사람들에게 다가갔으면 합니다. 물론 저 스스로도 '공자 왈' 을 되새기며 스스로를 채찍질하는 마음으로 보고 또 보게 될 것 같습니다.

끝으로 긴 시간을 기다려 준 출판사 관계자 분들과 가족을 포함해 주변의 모든 이들에게 이 글로 고마움을 대신합니다.

신명환

| 차 례 |

《논어》 깊이 읽기

제1장 《논어》는 어떤 책일까?

이 분들 외에도 '손자', '노자' 도 있고
우리 손자~

'주자' 라는 분,
'묵자' 라는 재미있는
이름을 가진 분도 있고
그만 묵자고

심지어는 '고자', '열자' 라는
분도 있다는 말씀~!
으~ 냄새~
창문이나 열자~
뿡!

오! 놀라운데.
그래도 점수는 60점!
엥? 왜요?

정답은 중국의 훌륭한 스승의 이름이면서,
그분들이 쓴 책 이름이지.
내가 쓴 거니까
내 이름을 붙였지.
맹자왈...

그럼 다음 문제! '공자' 의 삶과 사상을
알 수 있는 책은 무엇일까?
힌트는
두 글자라는 거~.

《공자》!
아니지~.
우리가 지금 보려는 책이
《논어》이니까, 당연히
《논어》일 텐데.

공자의 책은 《공자》라고
부르지 않고 왜 《논어》라고
부르는 거지?
궁금하지?

그래, 그거
좋은 질문이야.

앞의 책은 그분들이 직접 쓴 책이어서 저자의 이름을 따서 부르지만, 《논어》는 공자가
직접 쓴 책이 아니라, '공자의 제자들이 공자의 말씀을 기록' 했기 때문이야.
직접 쓸 걸
그랬나?
공자 가라사대..
직.. 접.. 쓸..
인세는
어떻게 할까요?

'의논하여 편집하다' 라는 뜻의 '논(論)' 과
편집장님,
요 글자가 맞나요?
글쎄?
논해볼까?
論

'공자님의 말씀' 이라는 뜻의 '어(語)' 가 합쳐진 것이지.
語
조심하게..
공자님 말씀이야.

《논어》는 주로 제자들이
'공자의 말' 과
자하야…
그건 말이지…
그게….
공자 왈…

'공자가 제자들의 물음에 답한 것' 을
기록한 내용을 담고 있다고 할 수
있지.
…4….
2+2는?

그러니까 내가 곧
공자님의 말씀이란
말이지.
와~
그렇구나!
논어

우리도 학교에서 선생님에게 배우고,
2+1=3
2+2=4
그래서 답은 '4'
입니다.
2+2=
4

배운 내용 중에 궁금한 것이 있어 질문하면 선생님이
대답을 해 주잖아.
질문 있는 사람?
저요!

바로 그런 내용을 담은 것이 《논어》라고 할 수 있어.
흠… 흠…
이제 알겠지?

너무 어려워하지 말고
들어들 와요.
논어
논어입문의 길

그래서 《논어》의 내용은 사람들이 흔히 생각하는 것처럼 매우 어렵거나, 무겁고, 어두운 책이 아니야.

에헴…!

오히려 공자뿐만 아니라 공자 제자들의 모습도 생생하게 담겨 있는, 친근하면서 재미있는 책이지.

《논어》에서 만나는 공자는 훌륭한 가르침을 주는 인류의 스승이기도 하지만,

어느 학교의 평범한 선생님 같기도 해.

몇 장면만 만나 볼까?

제자 '재여'가 대낮에 세상 모르고 낮잠을 자고 있었어.

그런 제자를 보니 얼마나 한심했겠어.

공자는 "썩은 나무엔 조각을 할 수 없고,

더러운 흙벽은 꾸밀 수 없는 법"인데 저런 녀석에게 무슨 화를 내랴 하시며,
낙서금지

"나는 전에는 사람을 볼 때 그 사람이 하는 말을 그대로 믿고 행동도 같으려니 했는데,
제가 다 하겠습니다.

행동도 같겠지….
제가 제가~

저 녀석 때문에 이제는 그가 하는 말 외에 행동을 같이 봐야 할 것 같구나!" 했다는 거야.

말만 그럴듯하고 게으름을 피우며 공부 안 하는 학생을 혼내는 학교 선생님의 모습과 똑같지?
내일부터 잘할게요.

이제 공자가 좀 친근하게 느껴지지? 그럼 다른 이야기도 더 볼까?
論語
論語

하루는 초나라 사람이 제자 자로에게 공자에 대해서 물었대.
공자는 어떤 사람이오?

그런데 자로가 대답을 못하는 거야.
그만 가자해!
그게... 공자님이...
저... 거시기...
에......
저기요~

그러자 공자가 말했지.
+_ _

너는 어찌하여 네 스승이 배움을 좋아하여 알고자 하는 마음이 생겨나면 밥 먹는 것조차 잊어버리고,

배움을 통해 알게 되면 그 즐거움으로 근심조차 잊어서,
날 잊었어.
근심

늙음이 자신에게 다가오고 있는 것도 깨닫지 못하는 사람이라고 말하지 않았느냐?
이봐!
이보게~
늙음
톡톡
하하하

뭐야? 제자가 스승에 대해 이렇게 모르다니… 웃기다해~!
히
하하
하하

다음부턴 잘하겠습니다. 홍보맨으로 임명해 주세요.
공자는 이런 분이다!

이해가 잘 안 간다고?
네~

쉽게 이야기하면, 어떤 사람이 여러분에게 이렇게 물었다고 생각해 봐.
너희 선생님은 어떤 분이시냐?

그런데 "몰라요." 이런 거야.
몰....
몰라요!

그 말을 선생님이 듣고는 이렇게 혼내는 것과 마찬가지야.
내가 저 시경이었지.
나… 선생님… 몰라?
모르겠어?

다시 《논어》 이야기로 돌아와서, 《논어》는 모두 20편으로 되어 있어.

'1편 학이', '2편 위정', '3편 팔일' 부터

'18편 미자', '19편 자장' '20편 요왈' 등이야.

보통은 책을 만들 때, 그 편의 핵심 되는 내용을 제목으로 삼는데, 논어는 그 편의 첫 번째 글자를 따서 제목으로 삼았어.

그러니까 1편은 "학이 어쩌고, 어쩌고"로 되어 있고,

2편은 "위정 어쩌고, 어쩌고"로 되어 있다는 말씀이지.

《논어》의 각 편이 특징이 없는 것은 아니지만, 기본적으로는 공자의 말씀을 두서없이 모아 놓은 것이라고 할 수 있어.

《논어》는 처음부터 20편으로 구성된 것은 아닌 것 같고, 공자가 죽고 한참 후에 20편으로 고정된 것 같아.
논어 20편 시리즈 마감임박~
쇼핑
엥? 언제 20편이 되었지?

《논어》를 쓴 사람이 누구인지는 정확하지 않아.
? ? ? ?

공자의 제자들이 함께 만들었다고 하기도 하고,

제자 중 몇 사람이 만들었다고 하는 등 여러 가지 설이 있지만,
누가 만들었을까?

일반적으로는 '유약('유자' 라고도 하지)' 과 '증삼('증자' 라고도 하지)' 이라는 제자와 그 제자들이 만들었다고 해.
딩!
동
댕~♪

이렇게 생각하는 이유는 수많은 공자의 제자를 부를 때,
네 네 네 네 네 네 예 네 네 네 네
제자야.

'안회', '자로' 등으로 이름을 부르는데,
안회
네
z z z

유약과 증삼은 '유자', '증자' 라고 부르기도 하기 때문이야.

유약과 증삼의 제자들이 책을 만들 때, 자신의 스승을 차마 '유약', '증삼' 이라고 부르지 못하고, '유 선생님', '증 선생님' 이라고 기록한 거라는 거지.
기분 나쁘면 자네 제자들 시키지.
자로에게 말하기를..

앞의 10편은 '상론'이라고 부르고
뒤의 10편은 '하론'이라고 부르는데,
상론
하론

'상론'과 '하론'을 만든 사람이
다르다고도 추측하기도 해.
이건 내가
이건 내가
상론
하론

왜냐하면 '상론'은 글자 수가 적고
간편하게 쓰여져 있는데, '하론'은
문장도 복잡하고, 글자
수도 많거든.
간편

또 보통 하론보다 상론에서 공자의 진짜 모습을
잘 볼 수 있다고 생각해.
진짜 같아?
하하..

《논어》는 2500년 전에 살았던
공자의 말과 행동을 기록한 책이기
때문에 다양한 《논어》가 전해 오고
있어.
제론
노론
고론
논어

내가 더
정확하다고~
아니..
내가 더~

각각의 《논어》는 글씨체나 발견된 시기,
편수에서 약간씩 차이가 있기 때문에,
어디서
왔슈?

책 두께가 얇은 거
보니 빼먹은 거
아닌가?
무슨 소리!

절대적으로 어떤 책이 공자의 사상을 정확히 기록하고 있다고
말할 수 있는 사람은
기대
기대
두근
두근 두근

아무도 없다고 할 수 있어.
뭐… 공자님 말씀을
적은 것만으로도
영광이지.
엥?
그럼
그럼

전해 오는 《논어》 중에
노나라의 《논어》인 《노론》과
노론

제나라의 《논어》인
《제론》
난 제론~

그리고 한나라 때 공자의 옛집을
수리하다가 발굴된 《고론》이 대표적이어서,
잘 잤다!
아흠~
고론

이 셋을 합쳐 '삼론'이라고 불러.
삼론이 다 모였군.

이중에서 《고론》이 발굴된 과정이
극적이야.
내가 고생 좀
했지….

그때가
언제냐면….

공자가 살았던 춘추시대는
다시 일곱으로 나누어져
'전국시대'라는 혼란을 겪다가
연
조
진
위
제
한
초

기원전 221년 진나라에 의해 최초로 통일되었어.

진나라의 왕은 자신을 '시황제'
라고 칭했는데, 우리가 흔히
'진시황'이라고 부르는 사람이지.
시황제
멋진걸.

'진시황'은 '법가'라는 사상에 기초하여
여러 가지 개혁 정책을 실시해 진나라를
강력하게 만들었어.
진나라
개
혁
정
책
튼튼
법가

'법가'에 대해서는 나중에
따로 설명할게.
법가란?
궁금하지?
조금만 참아…

진시황은 중국을 최초로 통일한 사람인만큼 욕심도 대단해서 '불로장생(不老長生)' 즉, 늙지 않고 영원히 살기를 꿈꾸었어.
천하를 다 가졌는데 아직 내가 못 가진 게 있다니….

그래서 많은 연금술사와 마술사들을 찾았고,

'불로장생의 약초'를 구하기 위해 동쪽 바다에 있는 섬으로 사람들을 보내기도 했어.

그거 진짜요?

유학자들은 이것은 사기성이 짙은 행동이라고 비난했지.
사기예요, 사기

당연히 불로장생하려는 그의 노력은 실패로 돌아갔어.

진시황은 자신이 속은 것이 화가 났지.

진시황은 그 유명한 '분서갱유'를 일으켰어.

'분서'는 '법가' 사상을 제외한 모든 책을 불사르고
법가 열외!

이를 어기는 자,

유교 경전을 읽고 의논하는 자,
공자왈….

정치를 비난하는 자 등은 모두 극형에 처한다는 것이야.
정치가 이게 뭐… 윽!

'갱유'는 불로장생을 하게 해 주겠다고 했던 사람들(주로 신선사상을 가진 학자)을 잡아들여,
신선놀음 중이구나. 잡아랏!

법을 어기고, 나쁜 말을 퍼뜨렸다는 이유로
내가 누군 줄 알아?
방 방

웅덩이를 파고 460명을 생매장시킨 일을 말해. 너무 끔찍하지?

*금서 – 출판이나 판매 또는 독서를 법적으로 금지한 책.

시간이 지나 진나라가 망하고

한나라가 세워진 후,
漢

공자의 옛집을 수리하던 중에
고택
끼익
끼익

담벼락 속에서 옛날의 《논어》가 쏟아져 나왔어.
심봤다!

그래서 옛 고(古)와 논어를 합쳐
古論語

《고론》이라고 부르는 거야.
古論
語
아하!!

《고론》은 옛날 글로 쓰였을 뿐만 아니라
옛날 글
??

내용마저 들쭉날쭉했다고 해.

공자는 한 분인데 그분의 말과 행동을 담은 책들이 차이가 나니
아~
어~
논어

하나로 정리할 필요가 있었지.
네!
네!
네!
네!
네!

특히 진나라가 망한 후 중국을 통일한 한나라는
漢

유교를 중심으로 나라를 다스렸기 때문에 그 필요성이 더욱 커졌어.
유교

그래서 이렇게 책마다 다른 《논어》가
공자왈
공자왈

여러 사람들에 의해 정리되어 오늘날과 같은 모습을 갖게 된 거지.
안녕~
논어

《논어》는 유교를 공부할 때 가장 먼저 배우는 책으로
《논어》부터~

공자의 가르침을 전하는 가장 확실한 고전으로 여겨져 왔어.
잘 전해 줘.
논어

또한 《논어》는 중국에서뿐 아니라
아주 좋은 가르침이구나.
기웃
논어

우리나라에서도 매우 중요한 책이었어. 요즘 말로 하면 주요 과목인 셈이지.
이게 그 유명한 공자님 말씀이라 고요?

물론 지금은 《논어》가
논어요?

'주요 과목'으로서의 기능을 잃은 지 100년도 넘었지만,
수학
ENGLISH
+%-×√

여전히 《논어》 속에 담긴 공자의 생각들이
논어

우리에게 영향을 주고 있으니,
노약자석

그 힘이 어디서 오는지…
논어의 힘

《논어》와 함께 공자의 세계에 푹 빠져서 같이 찾아보자고!

제2장 공자는 어떤 분일까?
나?

아래 장면은 어느 백화점의 광고 내용이야. '수의'는 사람이 죽어서 관 속에 입고 들어가는 옷인데, 그 옷에 황금가루를 넣어서 만든다는 거지.
부모님 오래 사세요! '황금 수의' 특별 기획전!
번쩍
번쩍
800만원
할인 680만원

그런데 왜 황금가루까지 넣어서 비싼 수의를 만들까? 조선 시대에는 유교의 영향으로 효도를 모든 행동의 근본이라고 생각했어.
효가 근본이지.
뿡

부모님이 살아 계실 때는 물질과 마음으로 잘 모셔야 하고,
물질은?

부모님이 돌아가시면 장례와 제사를 잘 지내는 것이 효도라고 생각했거든. 그 전통이 지금까지 이어진 거야.
피자가 먹고 싶어.

유교는 '공자'라는 인물에 의해서 시작된 학문인데, '유학' 또는 '유가'라고도 부르지.
공자 왈
왈왈

미국, 영국, 프랑스와 같은 나라들이 기독교의 영향을 많이 받았기 때문에 '기독교 문화권'이라 부르듯이,

우리나라, 중국, 일본은 '유교문화권'으로 불러.

그런데 부모님이 돌아가셨을 때 황금 수의를 입혀 드리는 것은 공자의 가르침에 꼭 맞는 것은 아니야!

어느 날, 공자의 제자가 공자에게 '예(禮-우리는 흔히 예절이라고도 하지)'의 근본이 무엇인지 물었어.

공자는 "예는 사치스럽게 하기보다는 차라리 검소한 것이 낫고, 장례식은 형식적으로 잘 갖추는 것보다 슬퍼하는 것이 낫다"(팔일편)고 말했어.
부모님의 장례식에 황금 수의를 입혀 드리는 것보다 진정으로 슬퍼하는 것이 진짜 효도라는 말이지.

공자는 옛날부터 지금까지 우리에게 가장 많은 영향을 끼친 인물이지만, 위의 예처럼 그의 가르침이 잘못 알려진 것도 많아.

이제, 공자의 참모습을 만나는 여행을 시작해 볼까?

공자는 기원전 551년에 중국 노나라의 수도 곡부시 창평향 추읍이라는 곳에서 태어났어.

지금으로부터 약 2500년 전에 살았던 분이야. 왜 2500년 전이 되냐고?

우리 아버지의 아버지의 아버지의 할아버지의 아버지의 아버지의 아버지의 아버지의 아버지의 아버지의 …. 아버지의 친구분이셔

기원전은 예수가 태어난 해를 기준(기원)으로 그 전이니까, 551년에 현재 연도를 더해서 약 2500년 전이 되는 거야.

*야합 – 정식으로 혼례를 치르지 않고 부부가 되는 것.

공자의 어머니 안징재는 60대의 할아버지와 정식 결혼식도 못 올린 10대의 젊은 여자였지만 아들을 얻기 위해 집 근처에 있는 '니구산'에 올라가 정성스럽게 기도를 했어.

이렇게 태어난 공자는 머리가 니구산의 언덕 모양을 닮아 머리 윗부분인 정수리가 움푹 파이고 주변이 펑퍼짐한 모양이었어. 요즘말로 하면 '짱구'지.

언덕은 한자로 구(丘)라고 하는데, 머리 모양이 언덕을 닮았다고 해서 이름을 '구'라고 지었어. 그러니까 공자님의 이름은 '공구', 즉 '공짱구' 선생이 되는 거지.

'자'는 '중니'라고 해. 아버지에게 다른 부인이 낳은 아들이 있어. 둘째 아들이므로 '중'과 니구산의 '니'를 합쳐서 지었다고 해.

'자'란 우리나라와 중국에서 성인식(관례)을 하고 난 후 원래 이름 외에 붙여 주는 별명이라고 할 수 있어.

아버지 숙량흘은 공자가 세 살 때 돌아가셨어. 공자의 집안은 원래 가난하고 보잘 것 없었는데, 아버지까지 돌아가시자 그 뒤로 더욱 어려워졌지.

어린 시절의 공자는 "언제나 제사할 때 쓰는 그릇을 벌여 놓고 예를 갖추어 소꿉놀이를 하였다."고 기록되어 있어.

요즘 어린아이들이 게임을 하거나, 블럭 놀이를 하는 것처럼, 어린 공짱구 소년은 예를 갖추어 제사 놀이를 했던 모양이야.

공자는 나이가 들어 자신의 인생을 돌아보며, "15세에 학문에 뜻을 두었다(입지=立志)"고 했어. 어려운 환경에서도 15세에 자신의 인생을 계획하며, 학문으로 무언가를 이루겠다는 꿈을 키우기 시작했다는 뜻이지.

공자의 나이 15세! 여러분과 비슷하지? 여러분은 지금 어떤 꿈을 키우고 있는지.

젊은 홀어머니 밑에서 자란 공자는 비교적 바르고 엄격한 가정교육을 받았던 것 같아.

네, 어머님.

공자 스스로 "나는 태어나면서부터 아는 사람 즉 천재가 아니라, 옛것을 좋아하며 부지런히 그것을 좋아한 사람"이라고 했거든.

그러나 공자가 어떻게 공부했는지는 분명하지가 않아. 누구에게나 배웠으며 일정한 스승이 없었다고만 기록되어 있지.

아하!

여러 책에 의하면 '담자'라는 사람이 노나라를 방문했을 때

공자는 그가 옛날 중국의 관리제도(관제)에 대하여 잘 알고 있다는 말을 듣고

그를 찾아가 묻고 배웠다고 하고,

'사양자'라는 사람에게서 금(琴=거문고나 가야금과 비슷한 악기)을 배웠고,

'노자'를 찾아가 '예'에 대해 물었다고 하고,

주나라에 가서 음악을 공부하였다고 기록되어 있어.

어쨌든 공자는 배우는 것을 좋아하고 열심히 노력하는 사람이었던 것은 분명해.

《논어》의 첫 구절도 "배우고 그것을 계속해서 실천해 나가니 기쁘지 아니한가?"(학이편)하며 배움의 기쁨을 감탄하고 있거든.

열일곱 살 때 어머니도 세상을 떠났어.
어무이

공자는 어머니를 아버지의 무덤에 함께 묻어 드리고 싶었으나,
아버님 곁에….

아버지의 묘가 어디 있는지 알지 못해 할 수 없었다고 해.
??

아버지의 무덤도 모를 만큼 아버지 쪽에서는 완전히 버림받았던 모자(母子)였던 셈이지.

열아홉 살에 '병관씨'라는 사람의 딸과 혼인을 했어.
허…
허락하셨어!
폴짝
폴짝

스무 살에는 아들 '리' 즉 '공리'가 태어났는데
응애~

이름을 뭐라 하나?

'리(鯉)'는 우리말로 '잉어'라는 뜻이야.
잉어라고 부르자!
그럼 우리 친구네.

아버지의 이름은 '짱구',
아들의 이름은 '잉어'…

어떤 학자는 '짱구 아버지, 잉어 아들'이라는 이름만으로 공자의 집안이 얼마나 보잘것없었는가를 보여 준다고 주장하기도 해.
짱구랑 잉어가 어때서?
짱구랑 잉어래~ 크크크

이때 공자는 처음으로 '위리' 라는 벼슬을 하게 됐어.

공자도 벼슬을 얻었대~

계씨 집안이 손씨, 맹씨 집안과 힘을 합쳐 왕을 공격한 거야.
어딜~!

왕 소공은 계씨를 제거하기는커녕 왕의 자리도 지키지 못하고,
王
목숨만 간신히 부지한 채 가까운 제나라로 도망을 쳐야 했어.
제나라

노나라의 이런 상황을 지켜보던 공자의 마음은 괴롭기 짝이 없었지.
으하하
제나라로 도망간다!
탁!

이렇게 썩은 정치가 판치는 나라에서는 자신의 뜻을 이룰 수 없다고 생각하여 공자 역시 제나라로 떠났어.
웰컴 투 제나라~

제나라에서 공자는 왕 경공을 만났지.

경공은 공자의 학문이 높은 것을 익히 들어 알고 있었기에 공자를 등용하려 했는데,

신하들이 반대했어.
공자 같은 유학자들은 말만 그럴 듯하지 예의가 복잡하여 나라를 다스리는 데는 쓸모가 없어요!

공자는 그곳에서 3년을 머물면서 제나라의 문화를 익히고 배웠어.
1
2
3

그리고 다시 노나라로 돌아왔어.

공자가 마흔두 살 되었을 때 제나라로 도망갔던 노나라 왕 소공이 길에서 죽었지.

소공의 뒤를 이어 ‘정공’이 왕이 되었으나, 그 역시 아무런 권력이 없었어.

노나라의 실제 권력자인 계씨 집안 역시 이즈음에는 질서가 어지러워져,

계씨 집안의 신하인 ‘양호’라는 사람이 권력을 잡고 있었어.

하지만 “열흘 붉은 꽃이 없다.”는 속담처럼 어떤 권력도 오래가지는 못하는 법인가 봐. 결국 양호도 쫓겨났어.

이때, 공자 나이는 쉰하나였어. 노나라의 왕 정공은 공자를 ‘중도재’라는 벼슬에 등용했어.

‘중도재’라는 벼슬은 중도를 다스리는 책임자로

오늘날로 하면 ‘구청장’ 정도 되는 높은 자리야.

공자는 나이 50대에 이르러서야 비로소 자신의 뜻을 펼칠 수 있는 높은 벼슬에 오르게 된 거지.

공자가 ‘중도재’가 된 지 1년 만에 중도는 다른 마을이 모두 본받을 정도로 질서가 잡혔다고 해.

쉰두 살 때는 노나라와
제나라가 평화를 위한 회의를
열었어.
제
노

공자는 왕 '정공'을 수행하여
외교관으로서의 임무를 훌륭히
수행했지.
王

쉰세 살에는 국토를 관리하는 '사공' 즉
'건설부 장관'이 되었고,

쉰넷에는 '사구' 즉
'법무부 장관'이 되었어.
法

공자의 명성은 높아졌고, 노나라도 안정을 찾는 듯했어.
이때가 공자가 관리로서 가장 성공한 시기였던 셈이야.
공자
공자
공자
공자 오빠
공자
공자
I♥공자

노나라를 경계하던 제나라는
불안해지자,
노나라가
너무
잘 나가는걸….

한 가지 계략을 생각해
냈어.
그렇지…
흐흐흐흐

노나라에 미녀 80명과 좋은 말 120필을 선물로
보낸 거야. 말하자면 '미인계'를 쓴 거지.
오빠아아아~

왕과 계씨는 선물을 받고 좋아하며 정치를 돌보지 않고, 미녀들과
신 나게 먹고 마시며 놀기에 정신이 없었어. 며칠씩 조회를 하지 않기도
하고, 제사를 마치면 제사에 쓴 고기를 관리들에게 나누어 주어야
하는데, 그것마저 잊어버릴 정도였지.
좋아
좋아
히히히힝

공자는 크게 실망했어.
나의 뜻을
펼치기에는 왕의
그릇이 너무
작구나.
벼슬
슬프도다..

벼슬을 버린 다음 해, 공자는 자신의 뜻을 알아줄 임금을 찾아 노나라를 떠나. 올바른 정치로 사회의 혼란을 바로 잡고 백성들이 잘 사는 세상을 만들고자 하는 아름다운 꿈을 품은 공자가 많은 제자를 이끌고 노나라를 떠나는 장면을 상상해 봐!

상상이 안 된다고? 아참, 공자의 모습을 설명하지 않았구나. 미안! 미안! 지금 얘기해 줄게.

공자는 아버지 숙량흘을 닮아, 키가 매우 컸어. 기록에 의하면 키가 9척 6촌이야. 농구 선수 '서장훈'과 같은 덩치를 상상하면 비슷할걸. 공자는 예수나 이황, 이이 같은 선비 이미지는 아니었던 것 같아. 머리는 짱구에 키가 엄청 큰 거구지.

사람들이 모두 '키다리'라고 불렀다고 해. 이제 좀 상상이 되지?

노나라를 떠난 쉰다섯 살부터 다시 노나라로 돌아올 때까지 공자는 14년간 중국을 돌아다녔어.

높은 학문과 현실 정치 경험을 두루 갖춘 유명한 정치가로, 많은 제자를 거느린 처지였기 때문에 때로는 상당한 대우를 받기도 했지만,

결국 자신의 뜻을 알아줄 왕을 만나지는 못했어.

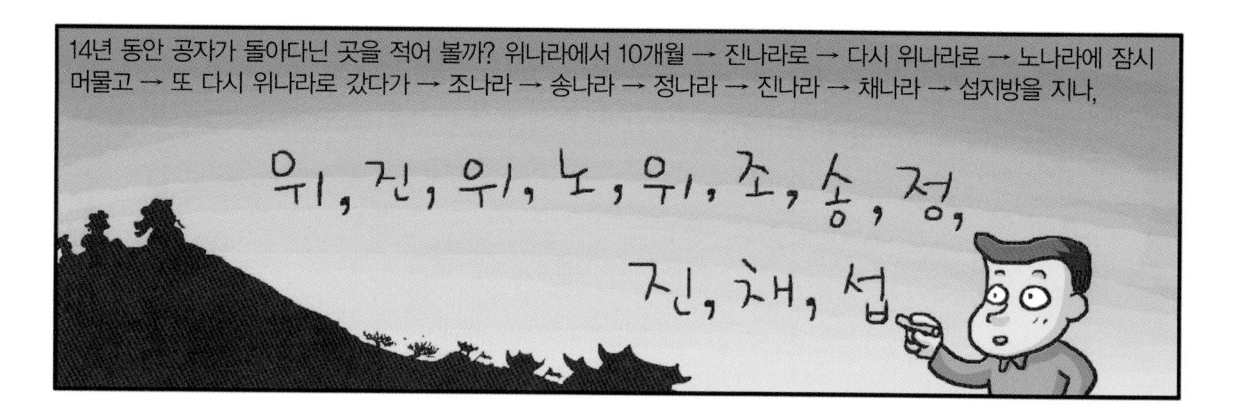
14년 동안 공자가 돌아다닌 곳을 적어 볼까? 위나라에서 10개월 → 진나라로 → 다시 위나라로 → 노나라에 잠시 머물고 → 또 다시 위나라로 갔다가 → 조나라 → 송나라 → 정나라 → 진나라 → 채나라 → 섭지방을 지나,
위, 진, 위, 노, 위, 조, 송, 정,
진, 채, 섭

초나라 → 위나라에서
3년 그리고 다시 노나라로…
초, 위,
노…

와! 숨차다. 쓰기만 하는데도 숨이 차는데, 제자들을 이끌고 돌아다니는 공자의 고생은 오죽했을까? 기록에 남아 있는 몇 장면만 이야기해 줄게.

공자가 위나라에서 진나라로 가는 도중 '광지방'을 지나다 그 지역 사람들에게 포위당해 죽을 뻔했어.
잠깐

이유는 공자의 모습이 양호와 비슷했기 때문인데, 양호가 이 지방 사람들에게 나쁜 짓을 많이 해서 사람들은 공자를 양호로 알고 잡아 죽이려고 했지.
진짜 닮았는데….
공자라고!
WANTED
양호
공자 비슷함

또 어느 날은 정나라에서 제자들과 엇갈려 길을 잃었어.
방금 그 길
아까 그 길

공자의 제자 '자공'이 공자를 찾아 헤매며, 사람들에게 공자를 보았느냐고 물었지.
양호 닮고
키는 9척 6촌
이고요~
뭐라고?

한 사람이 "저쪽 동문 앞에 어떤 사람이 서 있는데 풀 죽은 모습이 마치 집 잃은 개와 같다."고 했대.
길을 잃었어.
동문

"공자가 제일 사랑했던 제자 '안회'가
공자를 위하여 밥을 짓고 있었어.
밥이 다 되었나
볼까?

그런데 그 안에 먼지가 한 웅큼
툭 떨어진 거야.
악!!!
툭

이걸 어쩌나?

식량이 모자라 모두 굶주리고 있을 때인데 밥을 다시 지을 수도
없고, 안회는 생각하다 먼지 떨어진 부분의 밥을 떠서 자신이
먹어 버렸어.
먼지묻은 부분
푹~

이때 멀리서 그 장면을 본 공자는 안회가 배가
고파서 남몰래 밥을 훔쳐 먹은 것이라고
생각했지.

안회가 밥을 다 지어 공자에게 정성스럽게 들고
왔을 때, 공자는 모르는 체하면서 "먹는 것은 깨끗하게
하지 않으면 안 된다."며 돌려서 혼을 냈지.
치사하게 혼자
먹고 말이야.
꼬르륵

그러자 안회는 공자가 무엇을 말하려는지 금방
알아차리고, 사정을 이야기했어. 공자는 오해임을
깨닫고는 부끄러워했지."
부끄 부끄
얼마나 배가 고팠으면
공자 같은 분이
제일 사랑하는 제자가
밥을 훔쳐 먹는다고 꽁하게
생각했을까?

공자 나이 예순여덟 때, 노나라 계씨
집안의 신하가 되었던 제자 '염유'가
노나라와 제나라의 전쟁에서 큰 공을
세웠어.
내가
이겼어!

염유는 군사에 관한 것을
공자에게 배웠다고 대답했고,
스승이….
공자이옵니다!

계씨 집안의 실력자 계강자가
염유의 소원을 들어주어 공자가
비로소 노나라로 돌아올 수 있었지.
돌아와요!
진짜?

노나라로 돌아온 공자는
국가 원로의 대우를 받았어.
원로로 들어가십니다

정치에 대해 도움을 구하면 자문을
해 주기도 했지만.
정치란….
네!?
적어! 적어!
??

무엇보다 그가 힘을 기울인 것은
'제자들에 대한 교육'과 '옛날의 책을
정리'하는 것이었지.
정리도 해야 하고
교육도 해야 하고
바쁘다 바빠

공자는 중국 최초의 사학(=개인이 세운 학교)을 열었어.
공부하고 싶었는데….
사학

배우기를 원하는 사람이 있으면,
계급을 따지지 않고 받아들였지.
정말 계급 안 따져요?

공자는 '교사'를 하나의 직업으로
확립시킨 첫 번째 교사로 알려져 있어.
직업이?
교사요!

왜냐하면 그 이전의 시대에 귀족 가문에서는 가정교사를 고용하여
자식들을 교육시켰고, 정부 관리들은 하급관리에게 필요한 것을
가르쳐 주었거든.
가~
가

공자는 사회를 변화시키고 발전시킬 목적으로 평생을 배우고 가르치는 데 전념한 최초의 사람이라고 할 수 있지.

공자의 제자들은 약 3천 명에 달했고,
바글바글
나도
나도
제자
나도
나도
나도 제자
난 192번째 제자라구~
난 2,562 번째~

그중 72명은 매우 뛰어나서 '72현' 즉 '72명의 현명한 사람들' 이라고 불렸어.
우리는 현명한 72현~

공자는 옛것을 새롭게 정리하여 여섯 권의 책을 만들어 제자들에게 가르쳤어.
시경
서경
주역
춘추
예기
악경

여섯 권의 책은 노랫말에 관한 《시경》,
네가 없는 거리에는
시경

어… 맞아요
많이 듣던 노래인데….
시경

중국의 고대사에 관한 《서경》
옛날 옛날엔 말이다~
서경

세상이 변화하는 이치를 설명하는 '역' 에 설명을 단 《주역》
占
그러니까 올해는 물을 멀리하고…
주역

누군데 반말을?
지난 역사를 알면 미래도 보이는 법이지~
주역

노나라의 역사 책《춘추》
올해 춘추가?
주역

난 역사책 춘추요.
춘추

예에 관한《예기》
톡탁 톡탁
예끼~ 이 보슈들! 예의가 있어야지.
예기

음악에 관한《악경》으로, '6경'이라고 부르지.
아아아아아아아아
악~!!
악경
조용히들 해요~!!

'6경'은 오랫동안 유교를 공부하는 사람들에게 기본이 되는 책이 되었어.
우리가 기본이지.
기본!

예순아홉 살 때는 공자의 아들 공리가 세상을 떠나고,
공리야!

애비보다 먼저 가다니~
꺼으 꺼으

일흔 살 때는 가장 사랑했던 제자 안회도 세상을 떠나고,

그 다음 해엔 제자이며 친구였던 자로도 세상을 떠났어.
아니! 자네마저!
먼저 가우~

자로는 위나라에서 벼슬을 하고 있었는데,
놀러오삼~
잘 지내삼? ^^
톡톡

난리통에 목숨을 잃었어.
으윽!!

자로가 죽었다는 소식을 듣고 공자는 몹시 슬퍼하며 자로가 죽은 까닭을 물었어.
그런데 어떻게 죽었다더냐?

위나라의 왕이 자로의 시체를 소금에 절여 젓갈을 담갔다고 대답하자,

공자는 마당 한가운데서 어쩔 줄을 모르며 서성거리며
어허.
참으로..
--
어찌...

눈물을 흘리면서 소리쳤대.
집안에 있는 젓갈을 모두 엎어 버려라~!!
모두 버려!
흑흑
흑흑
흑흑

일흔셋.
주름이 또 늘었군.

공자는 세상을 떠나기 칠 일 전에 죽음을 미리 알고 있었던 것 같아.
왔구나….
!
저승사자
살금살금

아침 일찍 일어나 뒷짐을 지고 지팡이를 끌고 문 앞을 거닐면서 이렇게 읊었다.
태산이 무너지려는구나,
기둥이 부러지려는구나,
어질고 지혜로운 철인(哲人)이
시들려는구나!

그리고 방으로 들어가 제자들에게
자신의 죽음에 대하여
이야기하고는
내 죽음은….

칠 일 후에 돌아가셨어.
긴급속보입니다! 공자께서 지금 막..
뉴스

공자는 노나라 수도 북쪽에 있는 '사수'라는 언덕에 묻혔다고 기록되어 있는데, 지금은 공자의 무덤이 산동성 곡부시의 '공림(孔林)' 안에 있다고 해.

공자의 생애는 그가 끼친 엄청난 영향력에 비하면 너무나 보잘것없는 것 같지?
공자의 생애는 보잘것 없었다?

그래서 한 중국인은 그의 생애가 '평범하고 현실적인 것'이었다고 표현했어.
평범하다해~

그러나 바로 그 점이 자신의 노력으로 운명을 만들어 나가면 평범한 사람도 위대한 성인이 될 수 있다는 믿음을, 유교의 전통에 뿌리내리게 해 주기도 했지.
!
너도 될 수 있어!

우리는 지금 평범한 사람이지만, 우리가 어떤 삶을 살려고 애쓰느냐에 따라 우리의 삶이 달라진다는 거야.
우리도 많은 사람들에게 몇 천 년 동안 영향을 주는 인물이 될 수 있다는 거지! 어때 근사하지?
삼천 년 전에 살던 성인이래.
흠흠···

제3장
배움을 좋아해서 인류의 스승이 된 남자
大成殿

好學 – 배우는 것이 좋아요!

《논어》의 시작은 〈학이편〉이야.
큐~
학이편

《논어》의 편 이름은 맨 앞의 두 글자를 따서 지었다고 했으니, 첫 문장은 '학이 어쩌고 어쩌고'가 되겠지?
學而

그런데 《논어》는 모두 한자로 쓰여 있어서, 우리가 원래의 문장을 그대로 읽는 것은 무척 어려워.

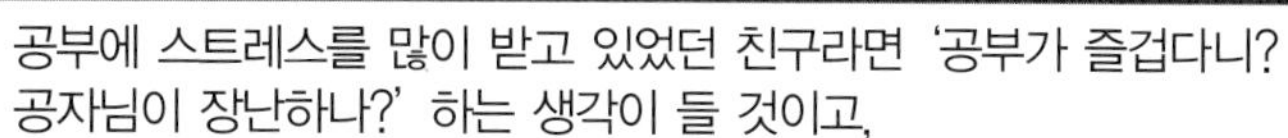

4대 성인(18세 이상 성인이 아니고, 인류의 큰 스승이라는 뜻이지!)이라고 불리는 공자로부터 위대한 가르침을 기대한 친구라면

남이 날 알아주지 않아도 화 안 내면 괜찮은 놈이지! 뭐야, 이거 당연한 말씀만 모아 놓은 책이잖아?' 하고 실망할지도 몰라.

인도 사람들이 마하트마(위대한 영혼이라는 뜻이야)
라고 부르며 존경하던 간디를 한번 볼까?

1948년 간디가 그에게 불만을 품은
한 힌두교 원리주의자에게 암살당했을 때
탕
탕
탕

많은 사람들이 그의 죽음을 슬퍼하며 장례식에
모여들어 거리는 온통 사람들로 가득 찼어.

모든 방송은 그의 죽음에 대해 이렇게 표현했어.
그는 지위도 재산도
권력도 없이, 그의 말처럼
가난하게 죽었다.

그는 높은 지위를 가진
사람도 아니고 많은 땅을
가진 사람도 아니며,

과학적 업적이나 예술적 성취를
이룬 사람이 아니지만,

세계의 정치 지도자들이 그의
죽음을 슬퍼하면서 한자리에
모였다.

그는 겸손과 평범한 진리가 어떤 제국보다
강하다는 것을 보여주었다.

또 알버트 아인슈타인은 "우리 세대는 앞으로 이와 같은 사람을
만나기는 힘들 것이다."라고 말했어.
E=mc²

이렇게 가치 있는 삶을 살았던 훌륭한 인물들의 가르침은 사실 평범한 것일지도 몰라.
"평범"

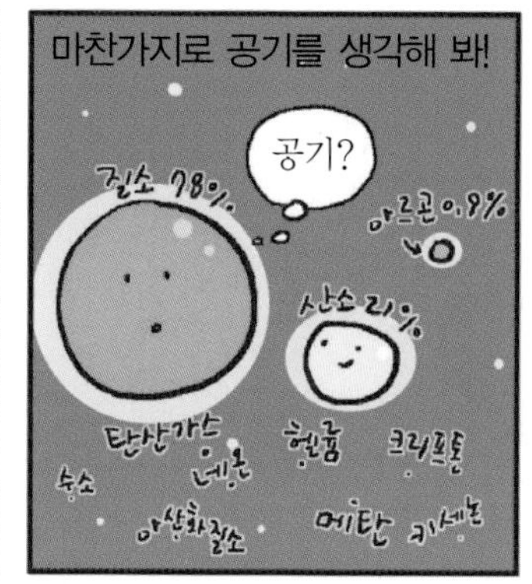
마찬가지로 공기를 생각해 봐!
공기?
질소 78%
아르곤 0.9%
산소 21%
탄산가스
네온
헬륨
크립톤
수소
아산화질소
메탄
키세논

너무 익숙하고 당연해서 소중함을 잘 모르지만, 공기가 없다면 한순간도 살 수 없잖아?

《논어》 속에 담긴 공자의 말씀은 아마 공기 같은 것일 거야.

공기
공기
공기

평범한 듯 보이지만, 그 말을 마음에 담아 읽어 보면 우리가 어떻게 살아야 하는지 알 수 있거든.

《논어》를 통해 새로운 정보를 얻고 싶은 사람이라면, 이 책을 여기서 덮어도 좋아.
탁

《논어》는 새로운 정보를 주는 책이 아니니까.

그렇지 않은 사람이라면 《논어》와 함께 천천히, 아주 천천히
천천히
시속
5km

공자의 말 속에 담긴 평범한 진리를 찾아가는 의미 있는 여행을 함께했으면 좋겠어.
論語

공자는 어떨 때 가장 기쁨을 느꼈을까?
응?

배우고 그것을 익혀서 배운 것이 온전히 나와 하나가 되고,

배움 속에서 알게 된 대로 자신의 삶을 살아갈 때,

진정한 기쁨을 느낀 것은 아닐까?

이 문장에 나오는 배움, 익힘 즉 실천 그리고 기쁨은 공자의 삶을 설명하는 중요한 단어라고 할 수 있어.
배움
익힘
기쁨

공자는 평생을 배우고 그것을 실천하면서 기쁨을 느낀 사람이었거든.
배우고 깨달으니 기분이 정말 좋구나!
이제 실천하자!

배움을 좋아한다는 말은 한자로 하면 좋을 호(好)와 배울 학(學)을 합쳐서 '호학'이라고 하는데,
好
好
好

공자가 배우는 것을 얼마나 좋아했는지 이 단어가 《논어》의 여러 곳에 나와.

공자가 말하기를 "열 가구 정도가 살고 있는 아주 작은 마을에서도 나보다 충성스럽고 믿음직한 사람이야 있을 터이지만
1
2
믿음·충성
3

나만큼 배우기를 좋아하는 사람은 없을 것이다."(공야편)
배우기 좋아
1등

공자는 스스로를 훌륭한 사람이라고 말한 적이 없는데,
.....
훌륭하세요?

오직 배움을 좋아하는 것에 대해서는 자신이 최고라고 말했어.
그건 내가 최고지~

"아침에 도를 들으면 저녁에 죽어도 좋다." (이인편)
도
도!

도는 길 도(道)인데, 사람으로서의 바른 길,
세상의 이치, 진리와 같은 뜻을 가진 말이야.

세상의 이치와 삶의 진리를 알았다면 저녁에 죽어도 좋다니,
죽어도 좋구나~

이보다 더 배움을 좋아할 수 있을까?
좋구나 좋아

공자가 제자 자로에게 배움에 대하여 말했어.
자로야.
네.

"인을 좋아하면서 배우기를 좋아하지 않으면
어리석은 사람이 되고,

지혜를 좋아하면서 배우기를 좋아하지 않으면
방탕한 사람이 되고,

믿음을 좋아하면서 배우기를 좋아하지 않으면 남에게 해가 되고,
믿어요.

정직을 좋아하면서 배우기를 좋아하지 않으면 각박해지고,
이쪽으로

용기를 좋아하면서 배우기를 좋아하지 않으면 난폭해지고,
확

굳센 것을 좋아하면서 배우기를 좋아하지 않으면 과격해진다." (양화편)

인을 좋아하는 사람, 우리가 흔히 착한 사람이라고 부르는 사람이 배우기를 좋아하지 않아 너무 무식하면 바보 같은 것처럼,
돈 좀 빌리자고!
휙
예...
헤헤헤

인(어질 인), 지혜, 믿음, 정직, 용기, 굳셈은 사람이 지녀야 할 좋은 것들이지만,
인
지혜
믿음
정직
용기
굳셈

그것에 배움을 좋아하는 것이 없다면 결국 해가 된다는 거지.
운전을 안 배워서….
인
지혜
믿음
정직
용기
굳셈
빵
빵빵

공자의 일생

중년의 남자 두 명이 처음 만났어.
전 김수로라고 합니다.
아! 네, 만나서 반갑습니다. 전 박무현이라고 합니다.

미국 사람들은 처음 만난 사람에게 "결혼하셨습니까? 나이가 몇 살입니까?" 라고 물으면 실례라고 하는데…
How old are you?

우리나라 사람들은 처음 본 사이에도 서슴없이 서로의 나이를 묻지.
너 몇살이니?
?

그리고 조금 통한다 싶으면 바로 '형, 동생', '언니, 동생' 하며 오래된 사이처럼 대하는 사람이 많아.
내가 형이야.

아니나 다를까, 두 분의 대한민국 아저씨들은 이름을 알자마자 서로 나이를 물었어.
나이가 어떻게 되십니까?

저는 이제 지천명(知天命)입니다.

아 그러십니까? 그럼 저보다 한참 위십니다. 저는 이제 갓 불혹(不惑)을 넘겼습니다. 저한테 형님뻘 되십니다.

나이를 물었는데, 숫자는 말하지 않고,
'지천명'에 '불혹'이라니?
지천명?
홍콩배우인가?

스파이들이 암호를 주고받는 것인가?
지천명
불혹
008
007

이런 대화가 학생들에게는 무척 낯설지만,
나이가 지긋한 우리나라 어른들 사이에서는
흔히 볼 수 있는 모습이야.
지. 천. 명.

지천명은 쉰 살이고, 불혹은 마흔 살을 일컫는 말이니까,
김수로 씨가 박무현 씨보다 훨씬 나이가 어린 셈이지.
형님,
잘 먹었습니다.
어?
어…

나이를 이렇게 부르는 것은 《논어》의
〈위정편〉에 나온 말이야.
나이는….
위정편

일흔 살을 넘긴 어느 날, 공자는 제자들 앞에서 자신의 인생을
회고하기 시작했어.
인생이….

공자께서 "나는 열다섯에 학문에 뜻을 세웠어(지우학志于學).
학문
15
15살에?!

서른 살이 되니 공부한 내용에 대해 확고한 내 입장을 가지게 되더군(이립而立).
전 가위입니다.

마흔 살에는 내 삶의 방향에 대해 의심스러운 것이 없게 되었으며(불혹不惑),
삶의 방향

쉰 살이 되어서는 모든 세상사가 하늘의 뜻에 있음을 알게 되었지(지천명知天命).
내 뜻!

예순 살에는 무슨 이야기를 들어도 거슬림 없이 마음속으로 받아들이게 되었으며(이순耳順),
개가 짖는구나….

일흔 살에는 마음속에서 하고자 하는 것을 그대로 따르더라도 사람이 따라야 할 일정한 법도를 넘어서지 않게 되었다(종심소욕불유구從心所欲不踰矩)."라고 말씀했지.
샤샤
샥~
샥~

너무 어려운 말이 많으니
하나씩 배워 보자!
지우학
이립
불혹
이순
지천명
종심소욕불유구

열다섯 살을 나타내는 지우학은
志 于 學
뜻 지 어조사 우 배울 학

특별한 뜻이 없이 말을 이어주는
어조사 우(于)가 합쳐져서
志 于 學

배움에 또는 학문에 뜻을 두었다는 뜻이야.
우린 모두 배움에 뜻을 두었어.

지금으로 하면 중학교 2학년쯤에 나의 인생을
학문으로 승부를 내겠다고 다짐했다는 뜻이지.

가끔 반 친구 중에 자기 인생의 목표가 확실한,
대단한 녀석이 있잖아.
난 예쁜
여자 친구를
만드는 것이
목표야.

바로 그 친구 같은 사람이 공구 소년인 셈이야.

서른 살의 이립은
이립?
30

말 이을 이(而), 설 립(立)이 합쳐져서 '섰다'는 뜻이야.
而 立
말 이을 이 설 립
!

열다섯 살 때부터 15년을 열심히 공부했더니, 자기 분야에서 전문가가 되었다는 뜻이지.

공자의 이름이 알려지기 시작한 것은 20대쯤부터지만,
공자 검색 순위….

본격적으로 제자들이 모여들기 시작한 것은 바로 서른 살 이후라고 해.
요즘 공자가 잘 가르친다네.
그래?
공자네

마흔 살의 불혹은
불혹?

아니 불(不), '정신이 헷갈리다' 또는 미혹할 혹(惑)이 합쳐져서
'의혹이 없어졌다'는 뜻이야.
不 惑
아니 불 미혹할 혹

어떤 학자는 불혹을 내가 살아온 길이 올바른가, 딴 길로
가는 것이 옳지 않을까 하는 의심이 없어지고
길 맞습니다.

나의 길을 온전히 확신하게 되었다는 뜻이라고
해석하기도 하고,
내가 살아온 길

어떤 학자는 육체적 욕망이나 돈이나
높은 벼슬에 대한 욕망에 흔들리지 않게
되었다고 해석하기도 하지.
수행중

어떤 해석이든 공자는 마흔 살에 우리 맘과 몸 속에 끊임없이
일어나는 욕망에 대해 어느 정도 흔들리지 않게 된 것 같아.
꼬르륵

공자는 특히 마흔 살을 중요하게 생각했나 봐.
VIP

《논어》에는 다른 나이에 대해서는 더 이상 나오지 않는데 유독
마흔 살에 대해서만 두 번이나 더 나오거든.
마흔 살 또
나오세요.
또 나오래~

자한편에서는 “뒤에 태어난 후배들은 무서운 존재이니(후생가외後生可畏),
응~
조용히 다녀요!
살금살금

미래의 그들이 현재의 우리보다 못할 것이라고 장담할 수 있겠느냐?
쯧쯧… 커서 뭐가 되려고…

현재의 우리보다 더 나을 수도 있지 않겠느냐?
댄스팀 우승!

그렇지만 그들이 나이 마흔이나 쉰이 되어서도 명성을 얻지 못한다면 그런 자는 두려워할 필요가 없다.”
공자배 댄스 배틀
두둑!

양화편에서는 “나이 마흔이 되어서도
내 나이 마흔이오!

남에게 미움을 받는다면
마흔 살이나 돼서….
나잇값을 못해.

끝이다.”라고 말하고 있거든.

“나이 마흔 살이 되면 자기 얼굴에 책임을 져야 한다.”고 말했던 링컨의 말이 생각나는 대목이야.
책임져.
책임져.

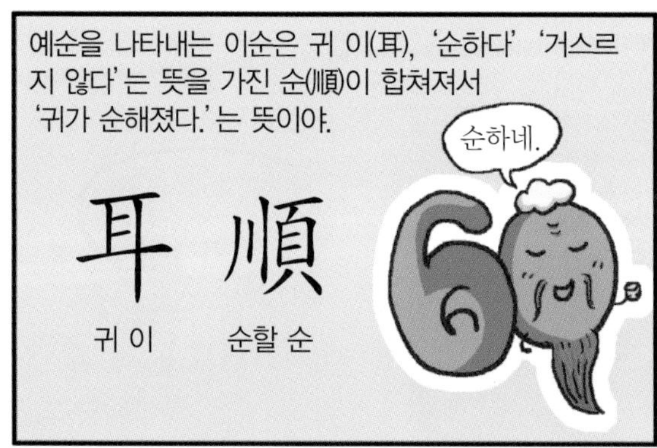

공자는 나이가 들수록 다른 사람의 말을 있는 그대로 받아들일 줄 아는 요즘 말로 소통할 줄 아는 사람이 된 거야.

소통

일흔 살은 좀 어려워!

그래서 이것을 기억하는 사람은 드물어. 70을 한자로 쓸 수 있다면 정말 유식한 거지!

일흔 살의 공자는 고리타분한 공자 할아버지가 아니라 아무 곳에도 얽매이지 않은 진정한 자유인의 모습이었어.

일흔 살은 종심소욕불유구從心所欲不踰矩라고 하는데

순서대로 잘라서 설명하자면 앞부분에 좇을 종(從), 마음 심(心), 바 소(所), 하고자 할 욕(欲),

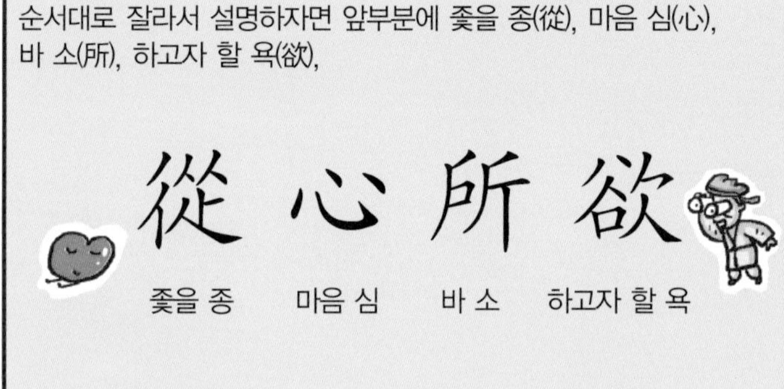

즉 '하고자 하는 마음을 좇아서 간다.'는 뜻이야.

뒷부분은 아니 불(不), 넘을 유(踰), 곱자 구(矩), 그러니까 여기서 곱자는 ㄱ자 형으로 만들어진 자를 말하는데 사람이 지켜야 할 도리나 규범이라는 뜻으로도 쓰여.

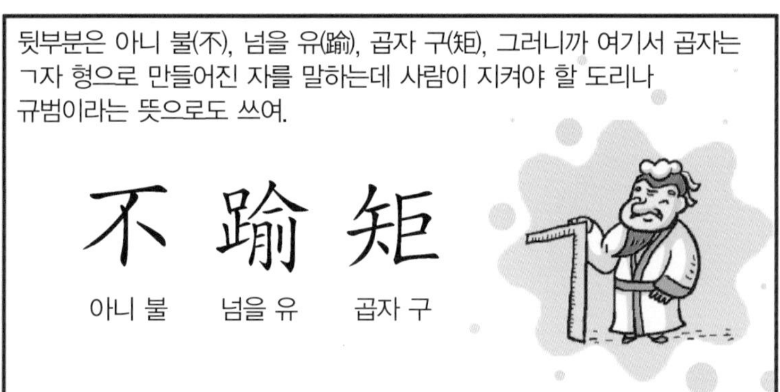

즉 규범을 넘지 않는다는 의미지.

다시 말해 종심소욕불유구는 내가 하고 싶은 대로 행동해도 사람의 도리에 어긋남이 없게 되었다는 뜻이야. 일흔 살에 우리도 그렇게 될까?

이 말은 여러 번 읽고 생각해 봐야, 그 깊은 맛을 알 수 있어. 아주 쉬운 예를 들어 볼까?

같은 반 친구가 요즘 제일 인기 있는 만화책을 가져온 거야.

모두들 그 만화책을 서로 돌려보고 수업 시간에도 몰래 봤지.

하지만 한 친구만 좋지 않은 일이라고 생각해서 흔들리지 않았어.

이 정도면 엄청 대단한 경지인데, 공자 식 표현으로 하면 어떤 단계일까?

바로 '불혹'이라고 할 수 있지.

'종심소욕불유구'의 단계는 이것보다 훨씬 높아! 보고 싶은 것을 참거나, 흔들리지 않는 정도가 아니라

도리에 어긋나는 일은 아예 하고 싶은 생각도 들지 않았다는 거지.

자신의 욕망조차 완전히 조절할 수 있는 경지에 이른 공자는 이제 완전히 자유로운 사람이면서 성인(聖人)이 된 거지.

"술을 마실 적에 취해서 술에 휘둘리지 않는 것이 나로서 참으로 힘들더라!"라고 고백하던 너무나 인간적인 모습의 공자는

배움을 좋아하는(好學) 자세로 평생을 살아, 인류가 삶의 모델로 삼는 성인이 될 수 있었어.

제4장
공자도 'LOVE'를 좋아하셨다!
LOVE

예수님은 '사랑', 부처님은 '자비', 공자님은 '인'

《논어》는 모두 1만여 자 정도의 한자로 되어 있는데,

그중에 가장 많이 나오는 한자가 무엇인지 아니?
최다 출연 한자는?

바로 '인(仁)'이야.
모두 백여섯 번이나 나와.
인!

이쯤이면 '인(仁)'은 공자 가르침의 핵심이라고 할 수 있겠지?
愛
仁
慈

인은 '어질다', '자비', '만물을 낳다' 라는 뜻을 지니고 있는데,
仁

우리는 흔히 '어질 인'이라고 불러.
어지러워?
?

그럼, '어질다'는 말은 무슨 뜻일까?
어질다?
어질다?
어질다?

"○○ 씨는 참 어진 분이지!" 이런 말을 들은 적이 있지만,
괜찮아. 난 어진 사람이니까…
딱!

정확히 설명하긴 쉽지 않을 거야.
어진?

잘 생각해 보면 알 듯하면서도 잘 모르겠단 말이지.

공자의 제자들도 우리와 비슷했던 모양이야.
仁?
인!
仁~??
인이란?
인? 인!
仁 is 인은…
?
…

제자 자장은 '인'이 무엇을 말하는지 무척 궁금했어.
자장
궁금해~!!
그만 좀 자장~

자장은 자이고, 이름은 전손사인데 공자보다 마흔여덟 살이나 어렸어.
전손사 등장이오.
네~
논어

그는 깊이 생각하기보다는
건널까!
말까?

먼저 움직이고 보는 성격이었대.
건너자!

그런 자장은
….

인이 무엇인지 알면 스승님의
가르침을 온전히 이해할 것 같았지.
인(仁)만 알면
되는 거야!

그래서 자신이 생각하는
어진 사람의 예를 들어
어진 사람
같은데….
어진 사람

공자에게 여쭈었다.
공자님.
응?

"초나라의 영윤이라는 사람은

세 번이나 재상이 되었는데,
소감은?

기쁜 표정을 짓지 않았고,
간질간질

세 번이나 재상 자리에서 쫓겨났는데
재상
뻥

화를 내지 않았답니다.
평생 화를 내지 않은
달인을 만나보겠습니다.

또 자리에서 물러나올 때는 새로운 재상에게 재상의 할 일을 자세히 알려 주었다고 하는데, 어떻습니까?"

공자가 말하길

자장이 다시 여쭙기를

공자가 말하길

초나라의 위대한 인물로 후대에 길이길이 기억될 만한 영윤도 어진 사람으로 부족하다면,

어떤 사람이 어진 사람이란 말인가?

자장이 다시 여쭈었다.
제나라 실권자인 대부 최자가

부인의 불륜을 알고

자신의 부인과 불륜 관계였던 임금 장공을 죽이자

마차 열 대를 부릴 수 있을 정도의 높은 신분에 있던 진문자라는 사람은
속보~! 최자가 임금을….

모든 것을 버리고 제나라를 떠났습니다.
나 간다.

다른 나라에 가니 역시 나라의 상황이 제나라와 별로 다르지 않은지라
여기도...

'우리나라의 최자와 같은 사람들뿐이구나!' 하며 다른 나라로 떠나고,
에잉~
다른나라

또 다른 나라에 가서 '우리나라의 최자와 똑같다.' 고 하며

또 떠났다고 하는데,

진문자는 어진 사람입니까?"

공자가 말하기를
깨끗한 사람이구나.

자장이 다시 여쭙기를
어진 사람이라고 할 수 있습니까?

공자가 말하기를
잘은 모르겠지만

어찌 어질다고 할 수 있겠느냐?

또 부족하다는 말씀인가?
요만큼….

자신이 가진 것을 모두 버리고 불의와 타협하지 않는 삶을 산 '진문자'와 같은 사람도
안한데!
타협안해!
불의

어진 사람에 미치지 못한다는 말인가?
어진 사람
club

도대체 인은 무엇이란 말인가?
仁?

자장은 다시 공자에게 인이 무엇인지 직접적으로 물었다.
선생님 그럼 인은 무엇입니까?
仁

공자가 말하기를
음…

공손함, 너그러움, 진실함 그리고
공손함
너그러움
진실함

민첩함, 은혜로움의 다섯 가지를 실천할 수 있다면 인하다고 할 수 있을 것이다.
인!
민첩함
은혜로움

공손하면 남의 모욕을 받지 않고,
정말 공손한걸….

너그러우면 많은 사람의 마음을 얻고,

진실하면 다른 사람이 자신을 믿게 되고,
이 도끼가 네 도끼냐?
네!

민첩하면 어떤 일이든 결과를 얻을 수 있고,
정말 잽싸군.

은혜로우면 다른 사람을 부릴 수 있을 것이기 때문이다."라고 하셨다. (양화편)
은혜로운 사람이 와 달라는데요?
은혜
아, 그럼 가 봐야지.
나도
나도 갈게.

이제 조금씩 이해가 가는군.
인한 사람
=
공손함
너그러움
진실함
민첩함
은혜로움

인은 나의 일에 최선을 다하거나, 깨끗하게 사는 것만으로는 이룰 수 없는 훨씬 넓은 의미를 지닌 말이군.

제자들의 인에 대한 질문은 계속된다.
질문 있습니다~!

영리하고 재주 많고 말 잘하는 자공이 인에 대해서 물었을 때는
인=??

"자공아! 인이란 자신이 서고자 하면 다른 사람도 설 수 있게 해 주고,

자기가 알고 싶으면 다른 사람도 알 수 있도록 깨우쳐 주는 것이지.
Love is?

자신의 주변에서 남을 이해하고 다른 사람을 사랑할 수 있다면
깊은 산속에서 고생이 많구먼.
I ♡ 산적

인을 실천하는 방법이라고 말할 만하구나." 라고 대답했어. (옹야편)
실천해.

공자가 타고 다니는 수레를 모는 번지라는 제자가 인에 대해 물었을 때는
인이 무엇인지요...

"인이란 사람을 아끼는 것, 사랑하는 것이다(愛人)."라고 하고,
사랑해요~ 사랑해요~

공자가 가장 사랑한 제자 안회가 인에 대하여 물었을 때는
인이 뭔지 알려 주세요.

"인이란 극기복례(克己復禮)이다. 즉 자기를 극복해서 예로 돌아가는 것이지.
먹어~.
도리 도리

하루라도 자신을 이겨내고,
자신과의 씨름대회

예로 돌아간다면 세상이 인으로 가득 찰 것이다."라고 대답했어. (안연편)

공자에게 예는 아주 넓은 의미로 사람 사이를 원활하게 해 주는 길이라고 할 수 있지.

또 누구에게 하신 말씀인지는 모르지만 '살신성인殺身成仁 – 나를 희생하여 인을 이룩한다.(위령공편)' 이라는 말도 했지.
수류탄이다! 모두 피해!
소대장님!

'살신성인' 이나 '극기복례' 는 아주 유명한 구절이니까 기억해 두길!
극기복례
살신성인 김중위의 묘

인에 대한 공자의 답변은 이렇게 여러 가지야.
자신을 이기고
사람을 아끼고
예를 실천하고
인은
사랑하고
타인을 세워주고
살신성인
알려주고

인에 대한 대답이 여러 가지인 까닭은 공자가 그때그때의 상황에 따라 적절한 대답을 하는 경우도 있고,
그때 그때 달라요.

질문하는 사람에 따라서 그에게 맞는 답변을 하기 때문이기도 하고,

인이 한마디로 정의하기 어려운 넓은 의미를 갖는 말이기 때문이기도 해.

여기에서 주목해야 할 점은 여러 가지 답변에서 공통되는 점이 '다른 사람과의 관계' 라는 사실이야.

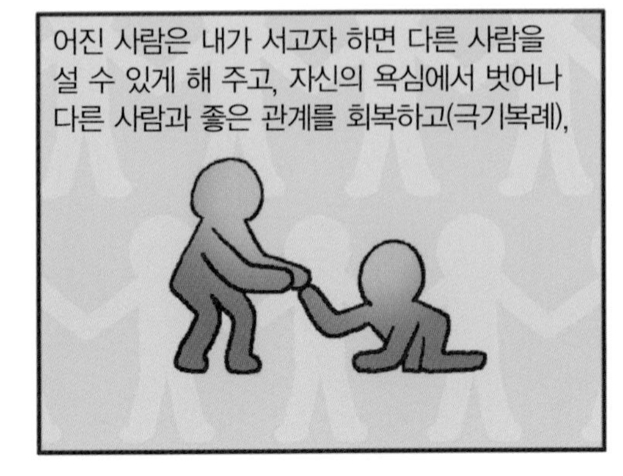
어진 사람은 내가 서고자 하면 다른 사람을 설 수 있게 해 주고, 자신의 욕심에서 벗어나 다른 사람과 좋은 관계를 회복하고(극기복례),

다른 사람을 아끼고 사랑하는 사람(애인)이란 말씀이지.

예수님의 사랑이나 부처님의 자비나 공자님의 인이 서로 통하는 것 같지 않아?
사랑
자비
인

예수님은 "네 이웃을 사랑하라."고 가르치시며 심지어 "원수까지 사랑하라."고 했고,
원수를 사랑한다!

부처님은 "자비를 베풀라! 인간뿐만 아니라 모든 살아 있는 생명을 가엾게 아끼고 사랑하라."고 했으며,

공자님은 "어진 사람이 돼라. 즉 사람을 사랑하라."고 하잖아.

그런데 조선을 처음 건국했을 때는 유교를 숭상하면서 불교를 배척해 유학자들이 스님을 산속으로 내쫓았고,
절로 가!
조선

기독교가 처음 들어 왔을 때는 사악한 종교라고 해서 기독교인들을 처형시키기도 했잖아?

지금도 기독교인, 불교도, 유학자 중에는 서로 생각이 다르다고 싸우는 경우도 많아.

겉으로는 많이 달라 보이지만 자세히 알고 보면 서로 통하는 것이 있는데,

바로 사람을 사랑하는 것!

인류 스승들의 공통적인 가르침! 바로 이런 모습이 아닐까?

한번은 이런 일도 있었어. 공자 집의 마구간에 불이 났어.
불이야!

공자가 퇴근을 해서
즐거운 퇴근시간

불이 난 사실을 알았지.

공자는 "사람은 다치지 않았는가?"라고 말했을 뿐

말에 대해서는 묻지 않았대. (향당편)
말은?
보험이죠? 사람은 안 다쳤다네….
응응…
마구간 좀 타고…

효(孝) – 인(仁)의 출발점

공자보다 마흔세 살이 젊고 공자와 외모가 많이 닮았던 유약이라는 제자가 있었어.

그는 많은 제자를 두었던 까닭에 《논어》에서 유자로 불리는 사람이야.

유자가 말하기를 "평소 부모님께 효도하고 윗사람을 공경하는 사람 중에

윗사람을 거스르기 좋아하는 사람은 드물다.

윗사람에 대해 거스르기를 좋아하지 않으면서

사회를 어지럽히는 일을 좋아하는 사람은

본 적이 없다.

군자는 근본에 힘을 써야 하느니,

(군자=공자가 생각하는 가장 이상적인 사람, 인을 실천하는 사람)

근본이 바로 서면 여러 가지 일에서 가장 올바른 방법은 저절로 생겨나게 된다.
쑥
쑥

이렇게 생각할 때 부모님께 효도하고
심청아, 맛있구나.

윗사람을 공경하는 것이
여기 앉으세요.
고마우이~

(이것을 효제孝悌라고 하지.)
아버님~

바로 인의 근본이라고 할 것이다." (학이편)
인의 근본
효제 孝悌

우리나라에서 예로부터 '효를 백 가지 행동의 근본이고

만 가지 가르침의 근본'이라고 생각한 것은
근본이시여!
가르침을 주세요~
孝
수학
ENGLISH
과학

바로 효가 인의 출발점이라고 생각했기 때문이야.
노약자석

그럼 공자가 생각했던 효는 무엇이었을까?
몇 가지 장면을 살펴보자.

장면 1
#1
맹씨네 집

노나라는 왕 대신 계씨, 손씨, 맹씨 세 집안이 권력을 잡고 있었다고 했지?
응?!

그중 맹씨 집안의 실력자는 '맹희자' 라는 사람이었는데,
실력자~

죽음을 앞두고 공자의 인물을 칭찬하며
그 사람 괜찮더라.

아들에게 이렇게 유언을 했대.
"내가 죽은 후에 꼭 공자에게 공부를 배우거라!"
공부
공자
공부
공부
공부

그래서 아들 '맹의자' 는 동생과 함께 공자에게서 배웠어.
맹의자~ 의자에 앉아요.
네~

어느 날 맹의자는 공자에게 효에 대해 물었어.
선생님! 효가 무엇입니까?

어기는 일이 없는 것이지요.
흠~
틱

맹의자가 그 말을 알아들었는지 못 알아들었는지 알 수 없지만,
….

그것으로 끝인 거야.
영 배우는 자세가 안 되어 있었지.

공자는 왕을 쫓아내고 권력을 잡은 계씨, 송씨, 맹씨 집안에 안 좋은 감정이 있었는데,
2장 보면 알지….
제나라
노나라

그 맹씨 집안의 아들인 맹의자를 보니
.....

마음이 편치 않았나 봐.
어기지 않아야지.

그래서 공자의 운전사이면서 제자인 '번지' 에게 물었어.
지난번에 맹의자가 나에게 효에 대해 묻더구나.

그래서 내가 '어기지 않는 것' 이라고 말해 주었지.

무슨 말씀이신가요?

부모님께서 살아 계실 때는 예에 맞게 섬겨야 하고,

돌아가셨을 때는

예에 맞게 장례를 지내고
어허~야 이제 가면…
딸랑 딸랑

예에 맞게 제사를 지내야 한다는 뜻이란다." (위정편)
평소 좋아하시던..
피자여!

장면 2
맹의자의 아들인 맹부맥이 효에 대해 물었어.
그 맹씨네 아들의 아들…
효란…?

그래서 공자가 말하기를 "부모는 오직 그 자식의 병을 근심하지요."라고 했지. (위정편)
감기 조심해라.
에~취!

장면 3
제자 자유가 효에 대하여 여쭈었어.
스승님, 효란?
그만 자유~.

선생님께서 말씀하시기를
"오늘날 효를 이야기하는 사람들은
효란 말이야~
孝?

부모님을 잘 봉양하는 것만을 효라고 생각하더구나.
식사 잘 챙겨 드리고..

그렇지만 개나 말조차도 다들 먹이고 돌보는 것은 하지 않더냐?
개밥을 잘 챙겨주어 효자상을…
난 말밥을

부모님에 대한 공경하는 마음이 없이 부모님을 봉양하기만 한다면
주려고 했으나 공경하는 마음이 없어
취소~

개와 말과 뭐가 다르겠느냐?" (위정편)

자유? 안 자유?
효란…
음냐 음냐
z z

장면 4
제자 자하가 효를 어떻게 해야 하는지 여쭈었어.
어떡하지요?

선생님께서 말씀하시기를 "부모님을 대할 때 온화한 얼굴빛을 갖기가 가장 어렵지만 이것이 가장 중요하다.
저… 용돈 좀….

어떤 일이 생기면 젊은 사람들이 어른들을 위해 수고스러운 일을 하고

술과 음식이 있으면 부모님께서 먼저 드시도록 하지만,
먼저~

이런 정도만으로 효도를 다했다고 여길 수 있겠는가?" (위정편)
다 한겨?

장면 5
공자가 말하기를 "부모님이 계실 적에 멀리 나돌아다니지 말 것이며,

멀리 갈 경우엔 반드시 그곳을 알려 드려야 할 것이다." (이인편)
화장실 갑니다.
끙~
뿡

공자가 말하는 효가 무엇인지 찾았어?
孝

위의 장면들을 가지고 하나씩 정리해 보자. 효란?
효란?

첫째, 내 몸이 건강한 것, 자식이 아프면 부모님이 너무 걱정하시므로,
흐뭇~

이것으로 나의 효도 점수를 매겨 볼까?

항목	배점	나의 점수
건강	20	
물질적 봉양	10	
부모님께 알리기	10	
성질부리지 않기	15	
부모님 뜻 따르기	15	
공경하는 마음	30	
합계	100	

90점 이상 : 당신은 대단한 효자이십니다. 존경해요!

80~89점 : 당신은 효도를 하는 편이십니다. 훌륭해요!

70~79점 : 부모님이 가끔 서운하시겠군요.
조금 더 분발하세요!

69~60점 : 부모님이 자주 슬퍼하시겠군요.
부모님을 생각하세요!
당신을 낳아준 분이시잖아요!

59점 이하 : 효도 점수 낙제입니다.
당신 자식이 당신 같으면 어쩌시겠어요?

제5장 부자 될까요?

부자는 좋지만, 옳지 않은 방법으로 얻은 부라면 사양합니다
이런 부자는 No!

중국산과 국산 부품으로 시계를 만들었어.

원가는 8만 원에서 20만 원 정도 들었지.
싸지?
원가

그 시계에 '빈센트 앤 코'라는 상표를 붙였어.
빈센트 앤코~!

그리고 유명한 연예인과 부유층을 불러 모아 출시 기념으로 호화로운 쇼를 벌이기도 하고,

홍보용으로 연예인에게 시계를 제공한 후 사진을 찍어 명품 잡지나 TV에 나오게 했어.

그러고는 이 시계는 스위스 제품으로 엘리자베스 영국 여왕, 다이애나 황태자비, 모나코 왕비 등 100년간 유럽 왕실에만 한정 판매한 명품 중의 명품이라고 광고했어.

1년 동안 35개의 시계를 30명에게 팔아서 약 4억 5천만 원을 벌었어. 대리점도 모집해서 약 20억 원을 벌었지.

아주 유명한 모 여자 연예인은 20만 원짜리 시계를 500만 원에 샀어.

'행운의 시계'라 불리는 값비싼 공짜 시계가 연예인 사이에 돌고 있다는 제보를 받고 경찰이 수사에 나섰고, 사기임이 밝혀졌지.

이 만화 같은 이야기는 진짜야.

어떤 카드 회사에서 날마다 "부자 되세요!"라고 광고하더니, 이제 온 국민이 부자병에 걸렸어.

돈이 있어야 사람대접을 받는 세상이 되다 보니, 명품이라면 너도 나도 못 사서 안달이야.

사람보다 돈이 위에 있는 세상은 뭔가 잘못된 거겠지?

공자는 돈에 대해서 어떻게 생각했을까? 공자도 어느 광고처럼 "부자 되라."고 했을까? 궁금하면 함께 알아보자.

공자가 말씀하시기를 "부귀는 모든 사람이 바라는 것이지만

정당한 방법으로 얻은 것이 아니라면 부귀를 누리지 않아야 한다.

가난하고 천한 것은 모든 사람이 싫어하는 것이지만

정당한 방법이 아니면 그것으로부터 벗어나지 않는다."(이인편)고 했어.

부정한 방법으로 얻은 부란 도둑질, 뇌물, 사기, 투기 등을 통해서 부자가 되었다는 말씀이니 이해가 되는데,

정당한 방법이 아니면 가난에서 벗어나지 않는다니 무슨 뜻일까?

가만히 생각해 보자! 일제 시대에 독립운동을 했던 분들은 옳은 일을 하다가 가난하게 살았지.

심지어 독립운동을 하는 통에 자식들 교육을 제대로 시키지 못해서, 그 자식들까지도 가난하게 사는 경우가 많았다고 하잖아.

일제 시대에는 정당한 방법으로 가난에서 벗어나기가 어려웠으니,

이런 가난이라면 가난하게 사는 것이 벗어나야 하는 나쁜 것이 아니라, 의미있는 삶이라고 말한 거야.

불교에서 인간의 모든 욕망을 버리고
소유하지 말 것(무소유)을 가르치는
것과 달리
無

공자는 인간이 가진 욕망을
인정했어.
인정!

부자가 되고 싶은 것, 가난하게 살기 싫은
것은 인간이 가진 기본적인 욕망이므로
부자가 되는 것은 괜찮다는 거지.
부자요!
장래 희망은?

단 부자가 되는 방법이 올바르지 않다면
차라리 가난하게 사는 것이 낫다는 거야.

공자의 이런 생각은 논어 곳곳에서 발견돼.
여기~
여기~
부자가 되는 방법이 올바르지 않다면 차라리
가난하게 사는 것이 낫다.
논어
논어
쏙

공자의 제자인 자장이 벼슬을 얻어 봉급을
받을 수 있는 일을 배우려고 하자,
돈도 많이 받고

공자가 말하기를 "넓고 다양하게 많이 듣고 그중에
의심스러운 내용은 잠시 미루어 두고

분명한 것들만 신중하게
이야기한다면 말실수가
거의 없을 것이다.
분명

넓고 다양하게 많이 보고 그중에
미심쩍어 행동하기에 위험한 것들은
잠시 미루어 두고

명확한 것들만 행동한다면 그 행동에 대해
후회할 일이 거의 없을 것이다.

이처럼 말실수가 거의 없고 행동에 후회할 일이 없을 정도로 말과 행동이 올바르면,
이름: 자장
학력: 공자 제자
특기: 자장가 부르기
장점: 말실수 없고 말과 행동이 올바름.

벼슬이나 봉급은 구하지 않아도 저절로 주어질 것이다."(위정편) 라고 하셨고
스카웃~

또 말하기를 "지위가 낮다고 근심할 것이 아니고 사람이 되지 못함을 근심할 일이다.
사람이 되지 못해서….

남이 날 알아 주지 않는다고 근심할 까닭이 없고,
누구야?
사인회

내가 알아야 할 것이 무엇인지를 찾을 일이다."(이인편)라고 했어.
지위가 높은 것
알아야 할 것
남이 알아주는 것

올바르게 행동하고, 사람이 되기를 애쓰며 살아서 부자가 되었다면 금상첨화이겠지만,
금상첨화!

그렇게 했더니 돈도 못 벌고, 벼슬도 못 얻어서 가난하게 살게 되었다면 어떡해야 할까?
꼬르륵~

공자가 여러 나라를 돌아다닐 때의 일이야.

위나라를 떠나 진나라에 갔는데 양식이 떨어지고, 며칠씩 굶은 제자들이 병들어 일어나지 못했어.
아프고
배 고프고….

다혈질 제자 '자로'가 화가 나서 공자에게 물었지.
군자도 가난해지는 때가 있습니까?

공자가 말하길 "군자라야 정말 가난해질 수가 있는 법이다.
정말 가난하려면 멀었다.

소인은 가난하면 멋대로 행동하는 법이지." (위령공편)
흥! 배고파 봐! 훔쳐먹는 사과가 더 맛있지!
꼬르륵

정당하게 얻은 가난이라면 가난 속에서도 멋대로 행동하지 않고 그것에 흔들리지 않는다는 거야.
가난
가난

그 가난을 즐길 줄 아는 사람이 진짜 군자라는 말이지.
장이요~
가난

그래서 공자는 "거친 밥을 먹고 맹물을 마시며 팔베개를 베어도 즐거움이 그 가운데에 있나니,

옳지 않은 재산과 명예는 내겐 한낱 뜬구름과 같구나."(술이편)라고 했어.

이런 생각을 가진 공자에게 부자인지 아닌지는 그 사람을 평가하는 기준이 되지 못했어.
부자
중간

제나라 왕 경공은 천 대의 마차를 부릴 정도의 부자였지만
오늘은 어떤 마차를 탈꼬?

죽는 날까지 백성들의 칭송을 받지 못했는데,
칭송은 무슨~
부자 경공의 묘

백이와 숙제는 수양산 아래에서 굶주려 죽었지만 오늘날까지 백성들의 칭송을 받아. (계씨편)
여기가 백이와 숙제가 ...
수양산~

백이와 숙제는 공자보다 훨씬 전의 사람으로 원래 은나라 변방의 작은 영지인 고죽국의 왕자였어.
백이 형님~
숙제 아우~
멋진 왕자님들…

백이가 형이고 숙제가 동생인데
아우~ 숙제는 다했나?

아버지가 돌아가시자 서로 후계자가 되기를 사양하며 끝까지 영주의 자리에 앉지 않으려 했대.
내 자리가 아니오~
왕

주나라의 무왕이 폭군이었던 은나라의 주왕을 토벌하여 주왕조를 세우자
주왕조

"임금이 잘못하면 죽음을 무릅쓰고 바른말을 아뢰어 올바르게 하는 것이 신하의 도리이지, 임금을 죽이고 나라를 빼앗는 것은 옳지 않다."며 수양산에 들어갔어.

백이와 숙제는 주나라의 곡식을 먹지 않겠다며, 고사리만 캐어 먹고 살다가 굶어 죽은 중국의 전설적인 성인 형제라고 할 수 있지.
주왕이 잘못하긴 했지.
형님, 고사리는 좀 지겨웠소.

공자는 부자 경공이 훌륭한 사람이 아니라,
난 부잔데….
No!
club
훌륭한 사람

먹을 것이 없어 굶어 죽을 만큼 가난하지만 인간의 도리를 지킨 백이와 숙제가 훨씬 훌륭한 사람이라는 거야.
에헴~
어서 오십시오!
club
훌륭한 사람

로또 당첨을 꿈꾸며 매일 복권을 사는 사람, 장래 희망이 오직 돈 버는 것인 사람, 명품 시계를 속아 산 사람들에게 공자의 말씀을 들려주고 싶어.
공자의 말씀

돈이 모든 것을 해결할 수 있는지, 명품으로 포장한다고 내가 명품이 되는지,

어떻게 사는 것이 진짜 부자로 사는 것인지 생각해 보라고 말이야.

안회와 자공
만녕
또 보네~

공자에게는 삼천 명이 넘는 제자가 있었어.
이천오백오십구 번
미천~오백..
육십번
2558

그중에 뛰어난 제자 72명은 72현이라고 부르고,
72현이라고 해~

그중에서 더욱 뛰어난 제자 열 명은 '공문십철' 이라 불러.
짜잔
공문십철
공자 문하의 열 명의 제자

자로, 자공, 안회, 자아, 자하, 자유(염구), 중궁, 자유, 민자건, 염백우가 그들인데,

우리나라에서도 해마다 공자의 탄신일에 공자와
함께 공문십철의 제사도 함께 지내.
흐뭇~

그 많은 제자 중에 공자가 특별히 사랑한 제자가 있었어.

공자가 사랑한 제자.
바로 나!

자가 '연' 이어서 '안회' 또는 '안연' 이라고 불리는 사람이야.
안회라고 해~.
백치미~

안회는 공자보다 서른 살이 적었는데 스승에 앞서 서른한 살의 나이로 일찍 죽었어.
미남 박명….

논어에 의하면
안연이 죽었다.
논어

공자께서 "아이고, 하늘이 날 버리시는구나! 하늘이 날 버리고 마는구나!"라며 울었다고 해. (선진편)

공자가 너무 슬프게 곡을 하며 울자 한 제자가 이렇게 말했어.
선생님 좀 지나친 것 아니세요?
꺼이 꺼이

그러자 공자가 말하기를
"그랬느냐?

하지만 안회의 죽음에 지나치지 않으면 누구에게 지나치겠느냐?"(선진편) 라며 슬퍼했대.

공자의 안회에 대한 사랑은 특별했지.

우리들이 흔히 하는 말로 하면 '편애' 하는 수준이었어.
안회가 좋아.

제자를 편애하는 것은 별로 훌륭해 보이지 않는데, 공자는 안회에 대한 사랑을 감추지 않았어.
좋은 걸 어떡해~.

노나라 임금 '애공'이 공자에게 물었어.

그래서 공자가 "안회라는 제자가 있는데 배우기를 좋아하고

자기 노여움을 남에게 화풀이하지 않으며

같은 잘못을 반복하지 않았는데 불행히도 명이 짧았습니다.

지금은 안회와 같은 사람이 없으니 배우기를 좋아하는 사람에 대해 들어보지 못했습니다."라고 대답했다. (옹야편)

"덕행에는 안회와 민자건, 염백우, 중궁이 특출했고,

말을 잘하는 것과 외교적 능력에는 자공과 자아가 뛰어났고,

정치를 하는 능력이나 행정을 담당하는 능력에는 염구와 자로가 뛰어났으며,

시(詩)나 서(書), 역(易)과 같은 책을 통한 학문의 연구에는 자유와 자하가 뛰어나다."(선진편)라고

시….

말할 만큼 뛰어난 제자들이 많았는데, 삼천의 제자 중에 공자가 안회를 지극히 사랑한 이유는 무엇이었을까?

공자가 죽은 후 공자 문파를 실질적으로 이끌었던 증자는 안회를 이렇게 표현했어.
안회?
공문십철 탈락

"안회는 매사에 능숙하면서도
능숙
끝~!
착 착 착 착~

미숙한 사람에게 물을 줄 알고
어떻게?

넉넉히 알면서도 잘 모르는 이의 말에도 귀 기울일 줄 알았으며,
이게 기역이오.

있어도 없는 듯하고,
있다? 없다?

꽉 찼으면서도 텅 빈 듯하며 누가 덤벼들어도 씩 웃고 마는 사람이었다." (태백편)
씩~
웃어?

공자는 "내가 제자인 안회와 함께 하루 종일 이야기를 하면 그는 그저 듣기만 할 뿐 되묻거나 이의를 제기하지 않아
하~

어리석은 사람 같이 보이더구나.

그런데 그가 물러난 뒤 그의 생활을 살펴 보았더니 내가 말하는 삶의 올바른 도리를 밝혀내고 있더구나.
삶의 도리

안회는 전혀 어리석은 사람이 아니더라!"

"안회는 그의 마음이 3개월 동안이나 인을 어기지 않았는데 나머지 사람들은 하루나 한 달에 인에 이를 뿐이더라!"
3개월이나 어기지 않다니….
난 못해!

증자나 공자의 표현에 의하면 안회는 겉으로 보기에 총명하거나 뛰어난 사람은 아니었나 봐.
헤~

잘 모르는 사람 눈에는 어리석어 보일 정도였지.
바…보?

자기를 내세우지도 않고, 다른 사람 말에 토를 달지도 않았어.
잘난 사람 오세요.

공자의 제자 중에 가장 배우기를 좋아하는 사람이니 학문의 경지가 상당했을 터인데도

무식하거나 모자란 사람의 말에 귀기울이며 심지어 묻기까지 하는 겸손한 사람이었어.
기원이네 가는길이…?

한마디로 말보다 행동이 앞서고 공자의 가르침을 생활 속에서 실천한 사람이었지.
!
행동
말

그래서 3개월 인(仁)할 수 있는지도 몰라.
위 사람은…… 3개월 인(仁)할 수 있는 사람으로
仁
3개월 仁 확인증

그러나 그는 무척 가난했어. 공자의 말에 의하면 "어질구나! 안연이여! 한 그릇의 밥과 한 가지의 맹물로 배를 채우고서 지저분한 달동네에 살면서도 느긋하기 이를 데 없구나.

다른 사람들은 그 고통을 이기지 못하는데 안연만은 그 즐거움을 벗어나지 않는구나!" (옹야편)

한 그릇의 밥과 맹물로 끼니를 챙겨야 할 정도의 가난한 사람이지만 그 속에서 즐거움을 아는 사람이 안회였어.
樂

또 한 제자가 있었어.

원래 이름은 단목사인데, 보통 자공이라고 불리는 사람이야.
안녕~

자공은 공자보다 서른한 살이나 적었어. 안회와 비슷한 나이인 셈이지.
내가 한 살 많지.

《논어》에 의하면 말을 잘하는 사람이고, 노나라 실력자 계강자가 "자공에게 정치를 맡길 만합니까?"라고 물었을 때
정치
정치

공자는 "자공은 사리에 통달해 있으니 정치를 하는 데 무슨 어려움이 있겠는가?"
훅
샥

라고 대답할 정도로 영리하고 재주가 많은 수재형이야.
재주 많네.

그러나 자공을 대하는 공자의 태도는 민망할 정도로 엄해.
에헴~!

공자는 자공을 칭찬하기는커녕, 사람들 앞에서도 서슴없이 혼냈어.
자공아! 넌 어떤 사람이 되고 싶으냐?

전 남이 저에게 하지 말았으면 하는 일을 저 역시 남에게 하지 않는 사람이 되고 싶습니다.

넌 아직 그런 사람이 되려면 멀었다.

아무리 스승이라지만 이 정도 지적이면 거의 기절할 수준이지. 심지어 공자는 자공에게 안회와 비교하는 질문을 던지기도 했어.
자공아! 너와 안연을 비교하면 누가 더 낫다고 생각하느냐?

제가 어찌 안연을 감히 쳐다볼 수 있겠습니까? 안연은 하나를 들으면 열을 아는 사람이고 저야 기껏 하나를 들으면 둘을 알 뿐인걸요.
하나~
10
2

그 뒤에 자공의 대답은 없지만, 《논어》의 다른 곳에 자공의 답이 들어 있어.

어느 날 숙손무숙이라는 노나라의 높은 관리가 조정에서 다른 사람들에게 말했어.

자복경백이라는 사람이 이 말을 자공에게 전했지.

자공이 말하기를

담의 높이가 나의 어깨쯤이라면 집안을 다 들여다볼 수 있겠지?

우리 선생님의 담은 사람들의 키보다 훨씬 높다네!

그러니 문으로 들어가지 않고서는 그 안의 아름다움과 호화로움을 볼 수가 없지. 그러나 그 문 안으로 들어가 본 사람은 얼마 안 되지!

숙손무숙이라는 양반은 담 안을 볼 수도 없고, 문 안으로 들어 가보지도 못해서 말도 안 되는 소리를 하는군!"(자장편)이라고 대답했대.

공자의 질문이나 자공의 대답이나 보통의 사제지간에서는 상상도 할 수 없는, 마치 무림고수의 한판을 보는 듯해.

이렇게 엄한 스승 공자는 자신이 죽고 난 후의 일처리를 자공에게 맡겼어.

공자가 죽은 후 제자들은 삼년상을 지냈어. 다른 제자들은 삼년상을 치르고 다 돌아갔지만

자공은 차마 발을 떼지 못하고 삼 년을 더해 '육년상'을 지냈어.

스승 공자가 자공에게 그렇게 엄격했던 것은 너무 넘치는 자공을 다듬어 주고 싶은 깊은 뜻이 있었고, 제자 자공은 스승의 그 뜻을 다 헤아리고 있었던 모양이야.

공자의 말에 의하면 "안회는 거의 도를 터득했지만 자주 쌀통이 빌 정도로 가난했고,

자공은 천명(하늘의 뜻)을 이해하지 못했지만 재산을 늘리는 재주가 있고

예측을 하면 자주 들어맞았다."고 해. (선진편)

지금 우리에게 비춰지는 자공의 모습은 머리 좋고, 말 잘하고, 재주 많고, 높은 벼슬에 오르고, 돈도 많은 사람이야.

엄청 성공한 사람인 셈이지.

하지만 성공한 남자 자공은 무엇이 부족해서 공자의 문하에서 학문을 배우고 그 엄한 가르침을 견디었으며, 공자가 죽은 후에는 육년상까지 지냈을까?

부자가 되는 것만으로, 사회적으로 성공하는 것만으로 해결되지 않는 인생의 무엇이 있지 않았을까?

자신에게 진지하게 물어보자! "나는 안회와 자공 중에 누구를 닮고 싶은가?"

제6장 사람과 사람 사이를 통하게 하는 길 - 예

아버지께서 "시(詩)를 배웠느냐?"
하시더군요.
기대 기대
공자 아들인데 ….
시?

그래서 "아직은 배우지 않았습니다." 했더니
아직요!

"시를 배우지 않으면 말을 할 수 없느니라."고 하여
!

저는 물러나서
시를 배웠습니다.

한참이 지난 후 어느 날, 아버지께서 또 홀로 뜰에 서 계시는데 제가 총총히 지나갔습니다.

아버지께서 또 "예(禮)를 배웠느냐?"
고 하시기에
예?

"아직 배우지 않았습니다."
했더니
그게….

"예를 배우지 않으면 다른 사람들 사이에 제대로 설 수가 없다."고 말했습니다.
!

저는 물러나 예를 배웠습니다.
이 두 가지를 들었지요.
예

그러자 진항이 물러나와 기뻐하며 말했어.
"하나를 물어 세 가지를 얻었구나.
으하하하~
세 가지나!
팔짝 팔짝

시를 공부해야 한다는 것과 예를 공부해야 한다는 것과 군자는 자신의 아들을 다른 사람들과 똑같이 가르친다는 것을 들었구나." (계씨편)
공부를 해야 말도 하고 설 수 있지.
멀리까지 배우러 온 보람이 있구나.
이렇게 기쁘다니~

공자는 시를 모르면 말을 할 수 없고, 예를 모르면 사람들 사이에 제대로 설 수 없다고 말했어. 공부해야 할 가장 중요한 것이 시와 예라는 말이지.
오늘 밤에도 별이 바람에 스치운다….
크… 멋진걸.
찌르르 찌르르

시는 알겠는데, 예는 약간 헷갈린다고?
예~

우리는 예라는 말보다는 '예절'이나 '예의'라는 말에 익숙하지.
예의 바르군.
백화점
어서 오십시오!

'부모님께 지켜야 할 예절, 수업시간에 지켜야 할 예절, 공공장소에서 지켜야 할 예절, 화장실에서 지켜야 할 예절' 등등
어른에게 그렇게 말하다니 예의가 있는 거니?
어른과 음식을 먹을 때는 어른이 먼저 드신 후에 먹어야지. 그것이 맞는 예절이야.
예절
빵빵
예절
끼익
예의가 없어.
부웅
예의
야

주로 어른들이 우리를 혼낼 때 쓰시는 말이라 별로 느낌이 좋지 않고, 어찌 보면 약간 고리타분한 냄새도 풍긴다고?
악당님들, 처음 뵙겠습니다.
예, 어르신! 기체후 일양만강….
우리 형님 예절 좋으시다.

하지만 한번 더 생각해 봐! 공자가 말하는 예는 무엇일까?
리슨 앤 리핏
예~

공자가 말하는 예는 단순히 개인이 지켜야 할 예절을 의미하는 것이 아니야. 공자의 예는 아주 넓은 뜻을 가지고 있어.
생각보다 무척 넓다!

"어른에게는 먼저 악수를 청하지 않는다."
할아버지, 만나서 반갑습니다.
자! 악수!

"친구 사이에도 욕을 사용하지 않는다."와 같은 개인 예절,
따르릉 따르릉
비켜 나세요.
친구부우운~
싫은데요.
친구분~

*화촉 – 빛깔을 들인 밀초.

**홍동백서 – 제사상을 차릴 때에 붉은 과실은 동쪽에 흰 과실은 서쪽에 놓는 일.

우리 집을 방문한 친구가 마음대로
냉장고 문을 열어 음식을 먹고,
집에 있는 물건을 뒤진다면

또 없냐?

*국빈 – 나라에서 정식으로 초대한 외국 손님. **오찬 – 보통 때보다 잘 차려서 손님을 대접하는 점심 식사.

우리나라 대통령이 다른 나라를 방문했는데
아주 낮은 직책의 관리가 공항에 마중 나왔다면

I'm
초등학교 반장

예는 이렇게 우리 생활에서 중요한 것이지만, 또 예를 지나치게 강조하면 '허례허식'이 되지 않을까 하는 걱정이 생기기도 해.
시계는 놀랬어시계, 가방은 루이네똥

이런 걱정은 우리만의 걱정은 아닌가 봐.
걱정
걱정
걱정

사마천이 쓴 《사기》에 이런 내용이 기록되어 있어.
사기

제나라 임금 경공이 공자를 만난 것이 기뻐
내가 공자를 만났어.

땅을 주어 공자를 등용하려고 하였더니 재상인 안영이 반대했다.
땅을 주고..
반대입니다.

대체로 공자와 그 제자들은 고지식하여 본받을 것이 못 됩니다.

거만하면서도 스스로 공손한 척하니

아랫사람으로 두고 같이 일하기가 어렵습니다.
이것… 좀 해 주시오….

무엇보다 장례를 너무 중요하게 생각하여
장례 중요!

파산할 지경으로 화려하게 지내니

나라에 그런 풍속이 퍼지도록 할 수는 없습니다.
호화상조 가입할까?
우리도?

또 여러 제후들에게 다니면서
정치에 대해 말하고
정치란….

남의 물건으로 생활하는 사람인데
어찌 나라를 맡길 수 있겠습니까?
누구
젓가락?

남의
물건으로….
그런 것
같기도 하고….
일리가…
팔랑 팔랑

성현이 사라지고 주나라 왕실이 이미 쇠약하여
예와 악이 없어진 지 오래되었는데,
까악 까악…

공자가 예복 차림으로 오르고 내리는 예와
나아가고 물러나는 절차를 복잡하게 하고 있습니다.
어허…
절차가!
망해 가는 판에…
절차가 무슨 필요요.
투덜
투덜

공자가 말하는 예라는 것은
여러 세대를 걸쳐도 다 배울 수
없는 것이고,
내가 못 배운
예를 다….
예!

한평생을 해도 그 예를 다
따를 수 없을 것입니다.
예~이이~예이
예이~예!

임금님께서 공자를 등용하여 우리나라의
풍속을 고치려고 하시는 것은 백성들을
위하는 일이 아닙니다.
맞는 말여~
웨웨~

결국 공자는 안영의 반대로
제나라에 등용되지 못했다.
나이스~

당시에도 예를 강조하는 것이 일이나
풍속의 절차를 복잡하게 하여
어.. 탕은 뒷줄이고
생선은 어… 과일은 홍동백서에..

쓸데없이 낭비하게 만든다고 생각하는
사람들이 있었던 모양이야.
국은.. 거기,
제사상 기다리다
배고파 죽겠네.

그렇다면 공자가 생각하는 예는 과연 무엇이었을까?
타타타타티타
예를 찾는 중~
예란?
예
의
지
친구
정치
인
효
밥
예가 보일랑 말랑
공자왈

노나라를 세운 주공의 사당 즉 태묘에서 제사를 지내게 되었어.

태묘에서 지내는 제사는 국가의 중요한 행사이니 절차가 무척 복잡하고 까다로웠지.
제사….

공자는 예에 관한 전문가로 소문이 나 있었던 까닭에
공자님~ 네… 네… 제사 좀 도와주세요.

태묘의 제사에 공자가 불려 갔어.
어서 오시오.

태묘에서 일하는 사람들은 공자가 소문만큼 예에 정통한 사람인지 궁금했고,
사인도 한 장
공자께서 오셨다니~!

그의 행동 하나하나를 주시하고 있었어.
네, 지금 주전자에 손을…

그런데 어찌된 영문인지 공자는 제사를 준비하면서 술잔을 올릴 때나
지금 올려야지요?
~네

향을 피울 때마다 매번 집사에게 물어보고 술잔을 올리고 향을 피우는 거야.
이번엔 향을….

그러자 이를 지켜보던 사람이 비웃었어.
누가 공자가 예를 잘 안다고 했나?

태묘에서 제사를 지낼 때 계속 물어보기만 하더라.
?

그 이야기를 들은 공자는
공자가 예를 모른다는 소문이…

"매번 물어보고 행하는 것이 예인데…" (팔일편)라고 이야기했다고 해.
이쪽이 맞습니까?
예

공자가 생각하는 예는 '변하지 않는 어떤 절차가 아니라'
예?
안 변해!

오히려 '상대방에 대한 배려 깊은 정중한 행동'이라는 거야.
예! 맞습니다.
이쪽이 예?

제사의 순서에 따라 절하고 분향하는 형식만 제대로 갖추는 것이 예가 아니라
형식
순서
절차

'공경하는 마음을 실천' 하는 것이 진정한 예라는 뜻이지.
12356

그래서 공자는 상을 당한 사람 옆에서 밥을 먹으면
많이 드세요.
흑흑흑

배불리 먹은 적이 없고(술이편),
끄르륵

상복을 입은 사람과

정식 관복을 입은 사람

그리고 장님을 만났을 때,

그 사람이 젊은 사람이라도 반드시 일어나고,
어허~

그들 앞을 지날 때는 반드시 종종걸음으로 빨리 걸었다고 해. (자한편)
종종

여기에서 주목해야 할 것은 '공경하는 마음'과 '배려',

그리고 '실천'과

'정중한 행동'이라는 단어야.
정중하군.

'공경하는 마음'이나 '배려'는 예의 정신 또는 내용이고,
이봐들….
예

'실천'이나 '정중한 행동'은 예의 형식을 말하는 것이므로
정중하게!
손은 앞으로….
예

예란 상대방을 공경하는 내용을 어떤 형식으로 표현한 것이라고 할 수 있지.

내용과 형식의 문제를 예를 들어 생각해 보자! 화장실이 너무 급해서 노크도 하지 않고 문을 확 열었는데, 웬일이니?

안에 어떤 사람이 볼일을 보고 있는 거야.

바로 "아! 죄송합니다. 실례했습니다." 라고 말했어.

또 어떤 사업가가 돈벌이가 되는 사업을 따내기 위해 모 국회의원에게 비싼 승용차를 선물했다면,

말은 선물이지만 뇌물을 준 것이고 적발되면 처벌을 받아.

첫 번째 경우처럼 예의 형식을 갖추지 못하면 실례가 되고,

두 번째 경우처럼 예의 정신은 없이 형식만 있다면 허례가 되는 거야.

예의 형식과 내용이 어떠해야 하는지에 대하여 〈옹야편〉에서 공자는 문질빈빈(文質彬彬)이라는 말로 아주 멋지게 설명해 주고 있어.

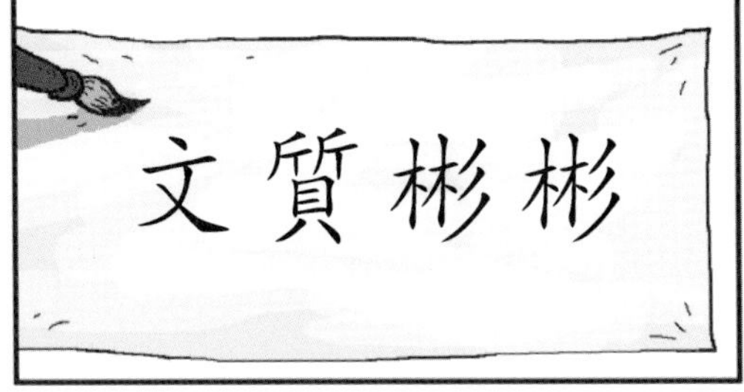

글자 그대로 해석하면 "무늬와 바탕이 잘 조화를 이루어야 빛난다."는 뜻인데 공자의 말을 그대로 옮기면 이래.

바탕이 겉치레보다 강조되면 거칠고,

겉치레가 바탕보다 강조되면 사치스럽다.

바탕과 겉치레가 함께 잘 어울려야 군자다운 모습을 갖추게 된다.

바탕이 겉치레보다 강조되는 경우는 어떤 모습일까?
?

촌스러운 옷을 입은 속 깊은 사람,
속이 깊군요.

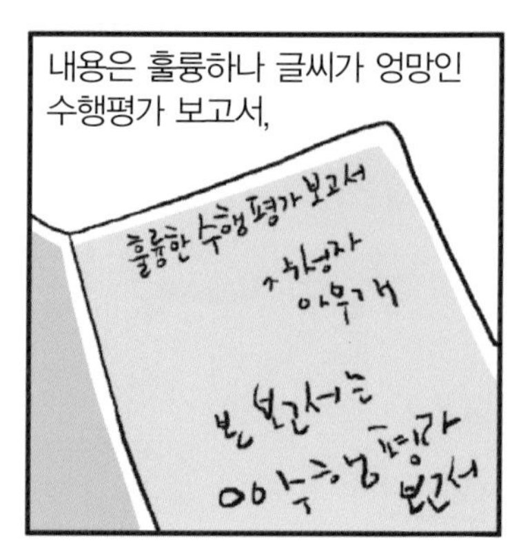
내용은 훌륭하나 글씨가 엉망인 수행평가 보고서,
훌륭한 수행평가 보고서

일회용 그릇에 아무렇게 담긴 바닷가재 요리,

자식을 누구보다 사랑하지만
토닥토닥

사랑한다는 말을 한번도 하지 않으시던 무뚝뚝한 아버지!
새벽에 나가니 딸 얼굴을 까먹겠어.

이런 경우는 찬찬히 오랜 시간 살펴보지 않으면 그 바탕의 진가를 발견하기 어려우니,
사랑한다.
아빠가.
천원
1000

공자는 거칠다고 표현했어.
바쁜디 뭔일이랴?
아빠… 사랑해요….

겉치레가 바탕보다 강조되는 경우는 우리 주변에서 훨씬 자주 볼 수 있어.

안의 내용물보다 포장만 근사한 상품,
이쑤시개

별 볼 일 없으면서 명품으로 치장한 사람,

형편에 맞지 않는 비싼 스포츠카를 몰고 다니는 청년,

달려 볼까?

*천자 – 군주 국가의 최고 통치자를 이르는 말.

이것이 곡삭례인데 공자 시대에 이르러서는 실제 의미는 잃고 형식으로만 남아 있었지.
왜 하는 거유?
?

공자의 제자 자공이 곡삭례에 쓸 희생양이 아깝다고 없애려고 했어.
희생양이라니….

자공은 곡삭례는 이미 현실과 너무 동떨어져, 없어져야 하는 의식이니

이런 예에 쓸데없는 재물을 낭비할 필요가 없다고 생각한 거야.
자공을 국회로~

그러자 공자는 "얘야! 넌 양이 그렇게 아까우냐?
쩝…

나는 이미 쓸모없어도 오랜 전통을 가진 그 예가 아깝구나."라고
예의가 없어!
예

자공의 의견에 반대했어. (팔일편)
예를 위해서라면 이 한 몸….

공자는 천 년을 이어온 예가 아무리 쓸모없어졌어도
이제 천 살이군.
예

양 한 마리보다 중요하다고 생각해 곡삭례를 지키려고 했어.
예

또 다른 장면에서 공자는 "삼베로 만든 관을 쓰는 것이 본래의 예이긴 하지만,

요즘은 명주로 만든 관이 검소하더구나.
검소해서 좋구나.

난 요즘 세태를 따르련다.

그리고 마당에서 어른에게 절을 올리는 것이 본래의 예다.

요즘은 마루 위에서 바로 절을 올리던데,

좀 게을러 보인다.
꼬끼오오~
그냥 마루에서 할까?

비록 세태에 어긋날지라도 나는 본래의 예대로 마당에서 절을 올리련다. (팔일편)
효자여….

삼베는 비록 거칠어 보이지만 조밀하게 짜려면 상당히 힘이 들었어.
나.. 힘들게 나왔어.

이에 비해 명주는 세밀하지만 짜는 데 힘이 덜 들었지.
맛있어.

그러므로 삼베로 된 관을 쓰는 것이 예에 맞지만 오늘날은 명주로 된 관을 쓰는 것이 검소하다고 한 거야.
검소!
예!

그러나 윗사람에게 절을 하는 것은 공경심을 나타내는 형식인데
공경합니다.

번거롭다고 아랫사람이 간편함을 추구하여 마루에서 절하는 것은 예절의 정신을 훼손하는 것이라는 거야.
안녕히 가세요.

공자는 시대의 변화에 따라 예의 형식이 변화되어야 한다는 점에는 기본적으로 찬성했어.
찬성
예
예
예

예의 정신이 변하지 않는 한도 내에서 시대에 맞게 예의 형식을 고쳐 나가는 것이 예의 본질이라고 생각한 거지.
시대에 맞춰….
예

그러나 '곡삭례를 없애는 것'이나 '마루에서 절하는 것을 반대하는 것'을 보면, 공자의 예는 엄격한 측면이 있지.
예
예

자공과 같은 질문을 오늘날의 상황에 비추어 던져 볼까? "추석은 우리나라 최대의 명절이다.
한가위

멀리 떨어진 친척들이 한자리에 모이고, 조상에게 감사하는 차례를 지낸다.

고향으로 가는 많은 차들 때문에 고속도로는 주차장이 되다시피 한다.
아빠! 쉬!
부산까지 17시간
송편 먹고 싶어요.
^^
오늘 도착해.

공교롭게도 우리 학교가 추석 연휴가 끝난 이틀 후에 중간고사를 보고
아!
중간고사!

나는 시험공부를 해야 하는데 할머니 할아버지는 시골에 사신다.
바쁜데 꼭 추석을 챙겨야 해요?

그렇다면 나는 할아버지 댁에 가야 하나 말아야 하나?"
우리 손자가 안 온다고?

공자는 어떤 대답을 했을까?

제7장 몰라도 궁금해하지 않으면 가르치지 않는 학교

공부를 하기 전에 먼저 인간이 되어라!

암컷이 죽었을 때는 수컷이,
여보오오!

수컷이 죽었을 때는 암컷이 다시 결혼하지 않고 독신으로 남은 생을 마쳐.
저 새가 열녀 기러기랴..
그래? 외롭겠네.

자식 사랑도 유별나.
자장 자장~

산에 불이 나 위험에
빠졌을 때

품에 품은 새끼와 함께 타 죽을지언정
새끼를 홀로 내버리고 도망갈 줄을 몰라.
새끼랑 같이….

그래서인지 조기 유학을 가는 아이들과
함께 아내마저 떠나보내고

홀로 남아 일하면서 학비를 보내는 가장들을 '기러기 아빠'라고
불러.

이제 해외로 유학가는 우리나라
초중고 학생 수는 수만 명에 이르지.
기럭기럭

어린 자녀들이 유학을 가면 엄마가 따라가는 경우가 많기 때문에
기러기 아빠 수는 갈수록 늘고 있어.
기럭기럭?
아빠~
바이바이.

몇 년 전의 한 통계에 의하면 이런 기러기 아빠들 가운데 달마다 버는 돈과 가족에게 보내는 금액이 비슷한 사람은 36%이었지만
36%

15%는 소득보다 오히려 송금액이 더 많았어.
꿀꺽
15%

기러기 아빠들은 우리나라의 무한 경쟁 교육 시스템을 피하거나
좀더! 더더더
ENGLISH
수학

자녀의 성공을 위해 기러기 아빠의 삶을 선택했다고 해.
성공

그만큼 교육에 관심이 많다는 뜻이겠지만, 이런 현실이 좀 답답하지? 그럼, 혹시 중국 최초의 사학을 열어 많은 인재를 길러 낸 공자의 학교를 방문해 보면 우리나라 교육에 대한 해법을 얻을 수 있지 않을까?
환영~
중국 최초의 사학

공자는 30대부터 제자들을 두었지만 정식으로 학교를 연 것은 여러 나라를 돌아다니다 노나라에 돌아와 죽기 직전까지의 짧은 기간에 불과해.
돌아다니기 힘들어서….

공자의 학교는 나라에서 세운 학교나 정식 교육기관이 아니었어.
같이 갑시다.
정식학교
공자학교
교육의 길

공자에게 배우기 위해 찾아온 제자들을 가르치는 일종의 사설 학원이었던 셈이지.
진짜!
공자님이 만든 학교라니….

공자 시대에는 글을 아는 사람이 인구의 1%도 안 되었을 거야.
글자를 쓸 줄 안다니 멋져라!

그래서 글자를 익히는 것만으로도 일종의 특권을 가질 수 있던 사회였어.
글자를 알다니….
특권

*종법 사회 – 제사의 계승과 종족의 결합을 위한 친족 제도가 기본이 되는 사회.

기본이 된 사람은 누구나 가르치는 엄격한 학교

그렇다고 배움을 청하러 오는 사람이 기본적인 예도 모른다면 곤란해.
예
후비적
후비적

돈이 없다면 자기 형편에 따라 배움을 청하는 예는 갖출 줄 알아야 해.
청소라도 하겠습니다.
쓱싹
쓱싹

배우려는 마음 자세와 기본적인 예를 아는 사람이라면 누구나 공자에게 배울 수 있었어.
저도….
저도요.

하지만 공자의 학교는 엄격했어.
엄격

"내가 뜻하는 도가 이 세상에 행해지지 않아 뗏목을 띄워 바다로 떠나간다면

나를 뒤따를 사람은 아마 자로일 것이다." 라고 말했어.
저요?!

자로가 이 이야기를 듣고

스승이 자신을 알아준다는 사실에 너무 기뻐했어.
좋구나~.

그러자 공자는 다시 "자로는 용기를 좋아한다는 점에서는 나보다 낫지만,
탁

사리를 잘 헤아리지 못하는 면이 있다."고 말했지. (공야장편)
?
?

스승에게 칭찬받고 좋아하는 제자를 앞에 두고 부족한 점을 곧 바로 지적하는 엄격함.
부족한 점.

(술이편)

한 가지를 가르치면 나머지를
스스로 알려고 노력하는 학생이
아니면 가르치지 않고,

하늘천 음냐음냐....

공자의 기준으로 학생을 가르친다면
우리나라 학교에 몇 명의 학생이
남을지 궁금하지?

.....

피아노도 배우고 수영도 배우고,

심지어 한글도 못 읽는 아이들이
영어를 배우기도 해.

초등학교에 들어가면 다니는
학원의 수가 더 늘어나지.

중학생이 되면 다니는 학원 수는 조금
줄어들지만 학원에서 보내는 시간은
더 늘어나는 것이 보통이야.

아침부터 낮까지는 학교에서,

학교가 끝난 후에는 학원에서,
학생들의 배움의 시간은 그칠
줄을 몰라.

초등학교 6학년 때는 중학교 1학년
것을 미리 배우고, 시험 때가 되면
시험공부도 학원에서 다 시켜 줘.

가만히 있으면 다 알아서 가르쳐
주니 모른다고 답답해하거나
궁금해할 여유도 없어.

언제부턴가 공부는 내가 궁금해서
하는 것이 아니라, 선생님이나
부모님이 시키면 하는 것이 되었어.

모르는 것이 생기면 스스로
배우려고 하고, 그러면서 깨닫는
즐거움을 알게 되는 게 교육의
기본인데

지나친 교육열이 이 기본을 잊게 하고 있어.

묻고 답하는 맞춤식 학습법

그렇다면 공자는 제자들의 질문에 어떻게 답했을까?

가르침을 들으면 그것을 바로 실천해야 합니까?
자로

부모 형제가 있는데 어떻게 가르침을 바로 실천할 수 있겠느냐?
먼저 물어 봐.

질문 하나 해도 되지유?
염유

가르침을 들으면 그것을 바로 실천해야 합니까?

가르침을 들으면 바로 실행해야 한다.

자로가 여쭈었을 때는 선생님께서 '어찌 바로 실행할 수 있겠느냐' 라고 말씀하시고
공서화

다시 염유가 여쭈었을 때는 '바로 그것을 실천하라' 고 말씀하였습니다.

저는 똑같은 질문에 서로 다르게 대답하시는 선생님의 말씀이 이해가 되지 않아 그 까닭을 묻고자 합니다.
그건….

염유는 소극적으로 행동하는 경향이 있으므로

그를 적극적으로 나아가게 하려고 한 것이고,
탁!

자로는 의욕이 남보다 앞서므로
메롱
스윙!

그를 억제시켜 뒤로 물러서게 하려 한 것이다.
기다리고.. 기다리고.. 집중...

자로와 염유는 행정의 전문가로서 당대의 권력자들이 탐내는 제자들이었어.
탐나는구나.

자로는 주로 군사 관계의 전문가였고

염유는 세무 분야의 전문가였지.

자로는 무지막지한 깡패였는데
누가 까불냐?

공자의 인격에 감동하여 공자의 제자가 되기를 청하여 평생 공자 곁을 지킨 제자야.
평생 제자가 되고 싶습니다.

자로는 의리를 소중하게 여기는 용감하고 씩씩한 사람으로 한 번 맺은 맹세를 평생 지키고
맹세!

행동이 앞서는 사람이었으니 공자는 그것을 바로잡아 주고자 한 것이지.
잠깐!
말
행동

염유는 세무 전문가답게 꼼꼼하고 조심스러운 성격이었던 모양이야.
콩콩
돌다리

그래서 공자는 염유를 좀 더 적극적으로 나아가게 하려고 한 거야.
네~
그냥 가!

이처럼 공자는 제자들 저마다의 특성에 맞게 가르침을 주었어.

생각과 배움의 조화

누구보다 배우기를 좋아했던 공자는 제자들에게 어떤 방법으로 공부하라고 가르쳤을까?
알려 줄까? 말까?

공자께서 말씀하시기를 "내가 일찍이 하루 종일 아무것도 먹지 않고

밤새 잠도 자지 않은 채 생각에 몰두해 보았으나

아무런 이익이 없었고 공부하는 것보다 못하였다." (위령공편)
음냐 음냐..

공자께서 말씀하시기를 "배우기만 하고

생각하지 않으면 남는 것이 없고,
구해 줘~

생각만 하고 배우지 않으면 허황되어 위태롭게 된다." (위정편)

공자가 경험해 보니 배우지 않고 생각만 하는 것은

아무런 이익이 없고 공부하는 것보다 못하더라는 거야.
펑

그러니 공부는 '생각'과 '배움'을 같이 해야 한다고 가르친 거지.

배우기만 하고 생각하지 않아서 생기는 문제는 '남는 것이 없다' 인데

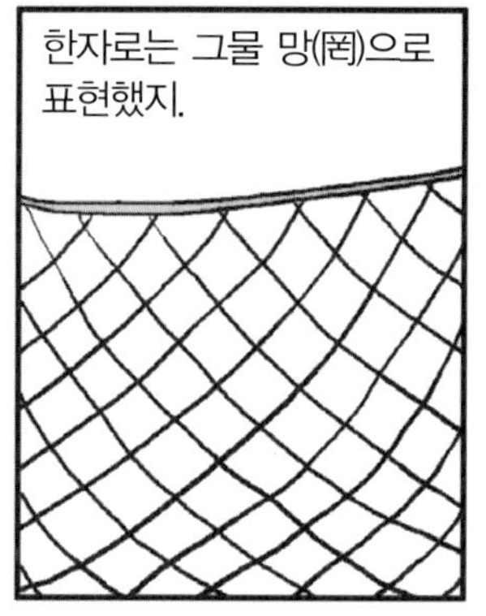
한자로는 그물 망(罔)으로 표현했지.

그물은 고기 같은 것을 잡는 것으로 그물에 갇히면 어둡고 답답해.

그물에 잡힌 고기는 살려고 필사적으로 바둥거리다 더 꽉 잡히고 말아.

반대로 생각만 하고 배우지 않아서 생기는 문제는 '위태롭다' 인데
생각은 쉬웠는데…

한자로는 위태할 태(殆)로 표현해.
생각의 늪

공부는 안 하고 이런저런 생각만 하니 쓸데없는 생각에 빠져들어 허황되고 위태로워진다는 뜻이지.
쓸데없는 생각

지식은 많은데, 생각하여 그 지식을 자신의 지혜로 만들지 못하면
지식
지식

답답한 사람이 되고,

반대로 지식은 없는데 생각만 많이 하면

공상가가 되기
쉽지.

쉽게 말해서
펑
펑
펑
펑
펑
펑
펑
펑
펑

생각 없이 책만 많이 보면

앞뒤 꽉 막힌 사람이 되고,

공부는 안 하고 생각만 하면 허황된 꿈을
꾸기 쉽다는 뜻이야.
날 잘 봐~
공중부양을 할

공부를 잘하려면 배우기도 하면서 생각할 줄도 알아야 한다는
공자님의 말씀!
知之者不如好
之者不如樂之者
왜?

제8장 나라는 어떻게 다스려야 하나요?

올바른 정치란?

학생들은 선생님의 말보다 '짱'의 말에 움직이지.
공부해라!

힘없는 애들은 힘센 애들의 놀이 대상이 되고,
냐아~옹

급식에 나오는 맛있는 반찬은 모두 힘센 녀석들의 차지가 되지.
가져와!

세상에 이런 학교가 있다면 너무 끔찍하겠지만, 있다고 상상해 봐!
전학 와~
으악!

견디다 못한 학생들은 선생님들과 힘을 모아 새로운 학교를 만들기로 했어.
못 다니겠어요.

어떻게 하면 학생들이 편히 학교를 다닐 수 있는 새로운 질서를 만들 수 있을까?
짱~ 안녕!
안녕~ 같이가자~

한쪽에서는 "강력한 교칙을 만들어서, 지키지 않는 학생들을 엄격하게 다스려야 합니다.
차려엇!!
교칙

잘못한 학생들은 때려 주고,
곤장 세 대요!

때려서 안 되면 벌을 내려 정학을 시키고,
정학

그것도 안 되면, 퇴학을 시키거나, 경찰에 넘겨야 합니다."라고 주장했어.

다른 한쪽에서는 “학교는 학생들을 올바른 사람으로 키우는 곳입니다.
학교

아무리 잘못된 아이들이라고 할지라도 인내심을 가지고 선생님과 친구들이 모범이 되어서,
친구야~
외로움
불만

잘못된 아이들을 바른길로 인도해야 합니다.
바른길.

시간이 오래 걸리고 쉽지는 않겠지만 올바른 교육을 통해서 학교를 바로 세웁시다.”라고 주장했어.

어떤 방법이 새로운 학교를 만들 수 있을까?

또 공자는 어떤 방법을 주장했을까?

공자 시대의 이야기를 오늘날과 비교하면서 생각해 봐!

공자가 살았던 춘추시대는 이 학교와 비슷해.
내 땅이다!

나라의 권력은 왕이 아니라 제후나 대부가 차지하고 있었고,
왕?
피식~
왕
제후
대부

각각의 나라들은 서로 싸워 전쟁이 멈출 날이 없으니

백성들의 삶은 고단하기 짝이 없었기에 새로운 질서를 만들기 위한 다양한 방법이 나왔어.
2열 종대? 3열로?

공자 역시 춘추시대의 폭력을 잠재우고 새로운 질서를 만들 수 있는 방법에 대해 많은 가르침을 주었지.
밥 준다 줄 거다….
밥 먹고 자라….
춘추
으르르르….

여기서 질문 하나!
질문!

공자가 생각하는 올바른 정치란 무엇이었을까?

노나라의 실력자인 제후 '계강자'라는 사람이 공자에게 정치에 대해 물었어.
거시기….

"만일 나쁜 놈들을 죽임으로써
나쁜놈

백성들을 올바른 도리로 나아가게 하는 방법을 쓴다면 어떻습니까?"
죽을래? 착해질래?

공자가 대답하기를 "제후께서는 정치를 하는 데 어찌 사람을 죽이는 방법을 쓰려고 하십니까?
어떠?

만약 제후께서 착해지기를 바라시면 백성들도 착해질 것입니다.
새싹을 밟을라….
어머~ 착해.
조심.. 조심

군자(훌륭한 사람)의 덕은 바람과 같고,

소인(평범한 사람)의 덕은 풀과 같은데
덕?

풀이란 그 위로 바람이 불면 반드시 눕게 마련입니다."(안연편)라 하였고
바람 따라 누우니 좋은걸~

아항~ 나 하기 나름이군.
딱

또 다른 곳에서는 "폭력이나 형벌로 백성을 다스리면 백성들은 피하려고만 하고,
꽈악

잘못에 대해 부끄러워하는 마음을 갖지 않을 것이다.
난 몰라….
철면피

하지만 도덕으로 나라를 다스리고 예로써 백성들을 가르치면
악수

백성들은 잘못을 부끄러워할 뿐 아니라 스스로 올바른 사람이 되려고 할 것이다."(위정편)라고 했어.
부끄~ 부끄~.
아.. 내 잘못!
난 올바른 사람이 될 거야.

또 "도덕의 실현을 근본으로 정치를 행하면,

마치 북극성이 제자리에 있지만 모든 별이 그 주위를 둘러싸는 것처럼

백성들이 감동하여 나라가 제대로 돌아갈 것이다."(위정편)라고도 말했다.
감동!
나도

공자는 강력한 법을 적용해서 백성들을 무섭게 다스리고,
!!

벌을 내린다면 백성들이 잘못을 감추려고만 들어
쉿..

결국 나라가 바로 서지 못한다고 생각한 거야.
나라

나라는 덕으로 다스려야 한다는 것이지.
다 당신 덕이오.
태평~
성대~

그러나 한비자라는 사람은 다른 주장을 했어.
아니….

옛날에 어느 마을에
어느마을

일은 하지 않고 말썽만 일으키는 청년이 있었어.
말썽
말썽

그 부모가 아무리 나무라도 자신의 행동을 고지지 않았지.
쨍그랑

마을에서 존경받는 사람이 훈계를 하고
어허…
이 사람!

메~롱

스승이 가르쳐도 마찬가지였지.

그러나 그 청년은 어느 날 관청에서 나온 무장한 포졸들이
법률에 따라 범인을 체포하는 것을 보고

너무 두려워서 자신의 행동을 고쳤다는 거야.

즉, 강력한 법과 처벌이 사회를
바로잡을 수 있다는 거지.
난 이쁜 게
죄여. 넌?

한비자의 말도 옳고, 공자의
말도 옳은 것 같아 헷갈리지?

그렇지만 학교에 무서운 선생님이 계시면,
어떻게 행동하지?
안녕~
조~용~

그 선생님이 볼 때는 혼나는 것이
무서워서 하는 척하지만,
열심인

안 볼 때는 마음대로
행동하지 않니?
척…
깔깔깔
만화

공자는 그 점을 꿰뚫어 본 거야.
뭐… 그런 점도…

그럼 여기서 두 번째 질문!
또 질문
논어

공자의 제자가 이번에는 노나라의 관리가 되어 어떻게 정치를 해야 하냐고 물었어.
어떻게…?

공자가 말하기를
공자왈

"여러 관리보다 먼저 모범을 보이고
좋은 아침!
벌써…

관리들의 작은 잘못을 용서해 주고
작은 잘못

현명한 인재를 찾아 관리로 등용해야 한다."고 대답했지.
인재를 찾습

그러자 제자는 또 물었어.
어떻게 현명한 인재를 알아서 등용합니까?
어떻게~
어떻게~

그래서 공자께서
어떻게
어떻게
어떻게
어떻게
어떻게
어떻게

"네가 아는 현명한 사람을 등용해라.

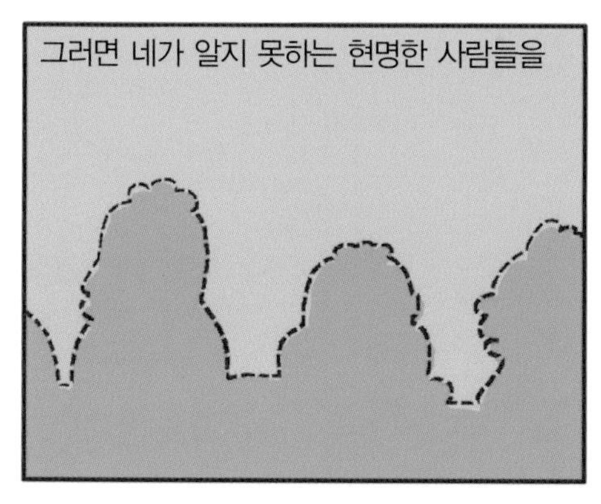

그러면 네가 알지 못하는 현명한 사람들을

다른 사람들이 너에게 추천하지 않겠느냐?"(자로편)라고 대답했지.
내 친구 현명한을 추천합니다
우리 동네 현명해 추천!
저를…

세 번째 질문!
국회의원 여러분……

질문.
zzz

나라를 다스릴 때 무엇을 중요하게 다루어야 할까?
숙제 없애고
만화는 실컷….
맛있는 것도….
음..음..

제자 자공이 정치에 대해 묻자,
정치란?

공자가 또 대답했지.
경제를 풍족히 하고,

군대를 튼튼히 하고,

백성들이 윗사람을 믿도록 하는 것이다.
믿슈우웁니까?!

그러자 자공이 또 물었지.
이 세 가지 중에 버려야 할 것이 있다면 어떤 것을 먼저 버려야 합니까?
경제
군대
믿음

공자 왈 "군대를 튼튼히 하는 것을 포기해야 한다."
군대
안녕~

자공이 또 다시 물었어.
어쩔 수 없이 두 가지 중에 버려야 할 것이 있다면 어떤 것을 먼저 버려야 합니까?
경제
믿음

….
배 고파요!
못 믿어요.
경제
믿음

공자 왈 "먹을 것을 넉넉히 하는 일을
포기해야 한다.
경제 안녕~
믿음

예로부터 죽음은 언제나 있었지만 백성들이 믿지 않으면
정치는 성립될 수 없기 때문이다."라고 했다. (안연편)
이 사람
믿어 주세요.
정치
믿음
정치인을
믿으라?…

공자가 생각하는 올바른 정치는
굉장히 훌륭한 것 같지만,
정치

너무 현실과 동떨어져 보이고,
안 들림
?
현실

효과가 없을 것 같기도 했던 모양이야.
저렇게
멀어서야….

그런 탓에 많은 왕들이 공자에게 정치에 대해
묻기만 하고 공자를 등용하지는 않았어.
상담전화만….
공자 정치 상담소
등용시
할인
따르릉
따르르르릉
띠리링
띠리리

사람을 먼저 생각하는 정직
그래서 자신의 뜻을 알아줄 왕을 찾아 여기저기 여러 나라를
돌아다니던 공자가
도리
도리
내 뜻
알죠?
모르는디…
몰류~

섭지방에 머물며 '섭공'을 만났을 때의 이야기야.
나 섭공을
모르면
섭하지이~
통통
섭지방

섭지방은 원래 초나라의 한 지방에 불과한데,
전하!
지방으로
피하십이….
楚
士

섭지방의 대부 심제량은 스스로를 '공' 즉 '섭공'이라 부르며
섭공 좋다, 섭공.

초나라의 새로운 권력자로 자리 잡고 있었어.
섭지방은 너무 작아!
두두둑
두둑

공자는 "나라를 다스리는 힘이 천자(왕)로부터 나오면 세상이 올바르게 다스려지지만,
요즘 살기 좋아.

제후로부터 나오면 10대 안에 망하지 않는 나라가 거의 없고,
꺼억

대부로부터 나오면 5대 안에 망하지 않는 나라가 거의 없다." (계씨편)고 생각하는 사람이라고 알려져 있는데,
내가 대부야! 대부!
W.C

제후도 아닌 대부로 나라의 권력을 차지하고 있는 섭공의 입장에서는
나라 망한다.

공자가 '섭지방'에 왔다는 소식에 마음이 편하지는 않았을 거야.
오늘의 뉴~스 공자가 왔어요~
쳇

그렇다고 세상이 알아주는 정치 전문가이며 대단한 학자인 공자가 자기 나라에 왔는데
사인 좀…

만나지 않으려니 그것도 영 거북했겠지.
만나지 뭐….

공자를 만난 섭공은
반갑소~

자신이 비록 왕이 아니고 대부로
나라의 권력을 쥐고 있지만,
봤지? 내 실력~
팍

자신의 나라가 얼마나 잘 다스려지고
있는지 공자에게 자랑을 했어.
자랑~, 자랑~ 내자랑..

"우리 마을의 정직한 사람은 그 아버지가 양을 훔치자

아들이 관가에 고발을 했습니다."
아버지가
범인~
관가

'우리나라는 자식이 아버지를 신고할 만큼
법이 잘 지켜지는 나라인데,
아들 잘 뒀소!

공자한테 뭐 배울 것이 더 있겠는가?'
라는 뜻으로 한 이야기지.

이 말을 들은 공자가
대답했어.
우리 마을의
정직한 사람은
이와는 다릅니다.

아버지가 양을 훔치면 아버지는
아들을 위해 감추고,
몰라 몰라~

아들은 아버지를 위해
감춥니다.
아버진 양을
모르오!

정직함은 그 사이에 있는 것입니다."
(자로편)
나 여기!
정직

정직은 마음에 거짓이나 꾸밈이 없는
바르고 곧은 것을 나타내는 말이지만,
정직
척 척

무엇이든지 거짓 없이 있는 그대로 나타내는 것이
정직은 아니라는 것이지.
정직?

만약에 우리 반에 어렸을 때 소아마비를
앓아 걷는 것이 불편한 친구가 있는데
절뚝

그 친구에게 정직하게 “야!
소아마비!”라고 부른다면
상처
푹

그것을 정직이라고 할 수 있을까?
친구야,
미안해.
상처

법이라는 것이 원래 사람들 사이에 질서를
찾아서 모두가 행복하게 살자고 만든 것인데,

자식이 아버지를 고발하고, 아버지가 자식을 고발하는 사회라면
아들아~
아버지….
123
124

모두가 행복할 수 있겠는가? 하고
묻고 있는 거야.

그런데 같은 이야기가 《한비자》라는 책에는
다른 입장에서 기록되어 있어.
나는 다른
입장입니다.
한비자
논어

"아버지가 양을 훔치자 직궁은 아버지를 관가에 고발했다.

하지만 초나라의 재상은 오히려 화를 내며 아들을 꾸짖었다.
아들이 아버지를 고발하다니 있을 수 없는 일이다.

직궁을 사형에 처해라.

직궁은 사형당했다.
까악
까악

이렇게 되자 초나라에서는 범인을 알아도 관가에 고발하는 사람이 없게 되었다.
몰라
몰라

또, 노나라에서는 세 번의 전쟁이 발생할 때마다 군대에서 도망가는 사람이 있었다.

탈영병에게 공자가 그 이유를 물어 보자 늙은 아버지를 부양하기 위해서라고 대답했다.

공자는 탈영병의 효성을 칭찬해 주었다.

그 이후 노나라에서는 수많은 탈영병이 생겼다."
노나라 탈영병 동지회
환영하오!

한비자는 효보다는 국가의 법이 중요하고,
효
법

가족보다는 국가가 중요하다고 생각했어.
가족
국가

공자 식으로 가족을 먼저 생각하다 보면,
도와줘요!
놀러갔다와서~

국가의 질서가 잡히지 않아,
국가

결국은 모두가 잘살 수 없게 된다는 입장이야.
와르르르
국가

똑같은 이야기인데, 받아들이는 입장에 따라 참 다르지.
이렇게 많이!
요것밖에 안 돼?

공자와 한비자의 입장 중에서 어떤 것이 진짜 정직인 것 같니?
어려운걸….
정직
정직

그러면 우리나라에서 직접 있었던 일로 생각해 볼래?
대한민국에서?

우리나라의 '국가보안법' 이라는 법에 따르면 '불고지죄' 라는 죄목이 있어.

불고지죄는 나라에 반대되는 활동을 한 사람을 알고 있으면서도 경찰에 신고하지 않으면
뜨끔
신고는 112

경찰에 잡혀가서 5년 이하의 징역이나 200만 원 이하의 벌금형을 받는 죄야. 단, 가족의 경우는 그 죄를 덜어줄 수 있지만.

실제로, 대학에 다니는 자신의 친구가 시위*를 하다 경찰에 쫓겨 숨어 있게 되었는데,

*시위 – 많은 사람이 공공연하게 의사를 표시하여 집회나 행진을 하며 위력을 나타내는 일.

친구가 숨어 있는 곳을 알면서 신고하지 않았다고 해서

징역을 2년씩 산 경우도 있고,

예전에 남한과 북한이 거의 오고 가지 못할 때 북한에 몰래 갔다 온 가족을 알고 있으면서 신고하지 않아서

식구들이 줄줄이 감옥 신세를 진 경우도 있었지.

우리 사회에 불고지죄가 꼭 필요하다고 생각하면 한비자에 가깝고

불고지죄는 없어져야 한다고 생각한다면 공자에 가까워!

공자처럼 '정직은 아버지는 아들을 위해 감추고 아들은 아버지를 위해 감추지만

정직함은 그 사이에 있는 것' 이라고 생각하는 거지!

제9장 어지러운 세상에서 공자가 사는 법

안 되는 줄 알면서도 그것을 하는 분

노나라 사람
공구인가?
그렇습니다.

흠, 그자라면 나루터가
어디인지 잘 알 게야.

?
?
?

자로가 그 옆에 있는 걸닉에게
다시 물었어.
나루터가…?

당신은 누구요?
저는 자로라고
합니다.

노나라 공구의 제자요?
그렇습니다.

홍수가 나서 물이 쏟아져
내리는 듯한 게 요즘 시대라오.

그러니 이런 천하의 대세를 누가
바꿀 수 있단 말이오?

당신도 자기를 알아주지 않는다고 이 사람
저 사람 찾아 헤매며 사람 낯이나 가리는 선생
따라다니지 말고

우리처럼 세상을 피해서
사는 사람들과 사는 것이
어떻겠소?

그러고는 쳐다보지도 않고
다시 밭을 가는 것이었어.
나루터는…

자로가 쫓아와서 공자에게 사정을 말하자
……

공자는 머쓱해하며 말했어. “날짐승 들짐승은 사람과 더불어 살아갈 수 없는 법이거늘,
공자왈…

내가 사람의 무리가 아니고 누구와 함께 하겠느냐? 천하에 도가 있다면 내가 바꾸려 들지도 않았을 것이다.”

공자가 살았던 춘추시대는 홍수가 나서 물이 쏟아져 내리는 것 같은 혼란의 시대였어.

(미자편)

나라와 나라 사이에는 전쟁이 끊일 날이 없고,

제후는 임금을 죽이고,

대부는 제후를 죽이는 약육강식의 세계와 다름없었지.

얍삽한 사람들이야 힘 있는 사람에게 붙어서 한몫 잡아보려고 정신이 없겠지만,

제정신을 가진 사람들은 어떻게 살아야 할지 고민이 많았을 거야.
세상이 영~

어떤 사람은 세상을 뒤집어 엎어야 한다고 하고,

어떤 사람들은 이 세상이 가망이 없으니
아예 피해 사는 것이 낫다고 생각하기도 했지.
피하자.

이 이야기에 나오는 '장저'와 '걸닉'은 더럽고 추악한 세상을
피해서 '깨끗하게 사는 삶'을 선택한 '은자'라고 할 수 있어.
으…
더럽다.

여러 나라를 돌아다니던 공자의
일행이 길을 잃었던 모양이야.

14년 동안 여러 나라를 돌아다니면서
공자 일행은 이런 일을 자주 겪었거든.
또 길을
잃었습니다.

그래서 자로가 길을 물으러
간 거지.
내비게이션
하나 살까?

장저와 걸닉은 지금 세상의 혼란은 누구도 바꿀 수 없는데,
치사하게 이 사람 저 사람 찾아다니며 나 좀 알아 달라고
사정하지 말고

자기들처럼 세상을 피해서 깨끗하게 사는 것이
어떠냐며 공자 일행을 비웃었어.

그 얘기를 들은 공자가 사람은 사람과 함께
살아야지 날짐승이나 들짐승과 살 수 없다고
말한 거야.

더구나 천하가 이렇게 혼란스러울 때에는 더욱 더 사람들
속에서 세상을 바꾸려고 애써야 한다는 것이지.

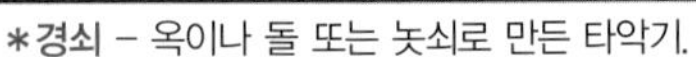
*경쇠 – 옥이나 돌 또는 놋쇠로 만든 타악기.

(헌문편)

공자는 그 말을 듣고 은자들처럼 세상을 피해 숨어 사는 것은 깨끗하기는 하지만,
샥

혼란한 세상을 바로 잡으려 애쓰는 것보다는 훨씬 쉽다고 말한 거야.

은자들의 눈에 공자는 부질없는 생각에 사로잡혀 출세 좀 해 보려고 안간힘을 쓰는 사람쯤으로 보였어.
흥!

그들 생각에 세상은 저절로 굴러가는 것이지, 사소한 인간 몇이 안간힘을 쓴다고 바뀌는 것이 아닌 거지.

그렇지만 공자는 은자들과 생각이 달랐어.
난 달라!

세상이 혼탁할수록 사람들 속에서 세상을 바로잡으려고 애써야 한다는 거야.
잠깐!

그것은 숨어 사는 삶보다 어렵고 힘들지만,
저기… 싸우지들 마쇼.
왜요? 뭐 볼일이라도?

인간이 당연히 해야 할 책임이라고 생각했어.
책임

그래서 공자는 정치에 참여하려고 애를 쓴 거고, 은자들 눈에는 그 모습이 출세하려고 애쓰는 것처럼 보인 거지.
정치
똑똑

그렇다고 해도 공자가 아무 벼슬이나 하려고 한 건 아니야.
No…

공자의 제자 중 원헌이라는 제자가 부끄러움에 대해 물었을 때
부끄러움이란?

공자가 말씀하시기를 "나라에 도가 있을 때 벼슬을 살다가
도 있음

나라가 도를 잃었는데도 벼슬을 살고 있는 것, 이것이 부끄러움이다."
도 없음

천하에 도가 없으니 사람들과 더불어 살면서 세상을 바꿔야 하지만,
빵
빵

나라가 도를 잃었을 때도 벼슬을 하는 것은 부끄러운 일이라고 생각하는 사람이 공자였으니,
갈길 X
벼슬

사는 것이 얼마나 고단했을까?
道 ???

이렇게 생각하는 공자가 안쓰러웠을까? 어떤 사람은 공자를 이렇게 표현했대.
자로가 길이 늦어져서 석문에서 묵었다.

새벽에 성문이 열려 안으로 들어가려는데,

성문을 지키는 문지기가 물었다.
어디서 오는 길이유?

공자의 문중에서 오는 길이오.

아~ 그 안 될 줄을 번연히 알면서도 그것을 하고 있는 분 말이군요!

(헌문편)

옛것에서 새로운 시대의 열쇠를 찾다 (온고지신:溫故知新)

주공은 난을 진압한 후 봉건제도를 새롭게 정비하고

예악(예와 음악)을 정비하여 나라를 튼튼히 했어.

주나라는 이런 제도로 500년 이상 평화와 번영을 누렸지.

주나라의 봉건제도는 중앙에 왕실(천자)이 있고

친척을 각 지방의 제후로 삼아 다스리는 제도인데,

200~300년이 지나면서 약점이 나타나기 시작했어.

땅을 처음 나누어 가진 것은 왕실의 친척이었지만,

세월이 흐르면서 친척이라는 의미가 없어졌어.

거기에다 중앙의 천자는 다른 민족의 침략을 막기 위해 제후들에게 군대를 양성할 수 있도록 해 주었는데,

철기 문명이 보급 되면서 철기를 잘 다루는 나라와 그렇지 않은 나라 사이에 힘의 차이가 커졌어.

철기가 왜 중요한지 이해가 잘 안 된다고?
응!

생각해 봐. 아무리 무술이 뛰어난 고수라도
I'm 고수.

청동검을 가지고 싸우면
나의 청동검!

철기검에 칼이 부러져 버리지.
철기
챙
댕강

그래서 철기 문명이 발달한 나라의 제후는 천자를 능가하게 되었어.

그뿐만 아니라 그 제후의 나라 안에서도 힘을 가진 신하는 제후를 누르게 되었지.

춘추시대의 혼란은 바로 여기에서 비롯된 것이었어.
나, 철들었다!

공자는 이러한 사회적 혼란을 없앨 수 있는 열쇠가 어디에 있다고 생각했을까?

공자가 말하길 "주나라는 하나라와 은나라 두 왕조를 본떴으되,
문물제도가 더욱 찬란하구나.

나는 주나라를 따르겠다." (팔일편)

또 공자가 말하기를
"내가 많이도 늙었구나!

꿈속에서 주공을 뵙지 못한 것이
오래되었구나." (술이편)

주공을 꿈속에서 뵙지 못했다고 이렇게
안타깝게 여기다니!

공자는 주공의 주나라가 하나라와 은나라의
전통을 이어받았지만
주
은

두 나라보다 더 찬란한 문물을 만들어 냈다고 생각했어.
주

그래서 공자는 당시의 혼란을 극복할 열쇠가 '주공이
만든 제도와 예악'에 있다고 생각한 거야.

오죽하면 "나는 주나라를 따르겠다!", "따르겠다!"며
외쳤겠어?
따르겠다!

이것은 '옛것을 익혀서 새것을 알아야 한다.'는 입장인데,
파충류의 조상이라…

'온고지신'이라고 해.

따뜻할 온(溫), 옛 고(故),
溫 故
익히다, 공부하다의 뜻으로 썼죠.

알 지(知), 새 신(新)이 합쳐진 말이야.
知 新
알 지
새 신

흔히 '전통을 잘 지키자.', '오래된 과거에서 미래를 찾자.'라고 주장하는 사람들이 즐겨 쓰는 말이야.
3대째 전통을 지켜오고…

공자가 얼마나 온고지신의 정신을 중요하게 생각했는지, 스스로
밑줄 쫙~!!

"나는 태어나면서부터 모든 것을 알았던 사람이 아니라
2×1=2
2×2=4
2×3=6
2×4=8

옛것을 좋아하고 열심히 그것을 추구한 사람이다."

"나는 옛것을 배워 전하기만 할 뿐 새로운 것을 창작하지 않으며,
딩동~
옛것 배달왔습니다.
203
202
논어

옛것을 믿고 좋아하면서 내 자신을 은연중에 은나라의 현인이었던 노팽과 비교해 본다."라고 말하기도 했어.

이런 공자에게 옛날의 예법을 무시하는 것은
용서할 수 없는 일이었지.
예법
무시!?
누가?!
그런데 노나라의 실력자인 계씨가 자기 집 뜰 안에서
'팔일무'를 추게 한 거야.
팔일무가
보고 싶구나!
이 팔일무는 여덟 명이 여덟 줄로
서서 춤을 추는 것인데
원래 천자 앞에서만
출 수 있었어.

노나라는 제후국이라 '육일무' 즉 여섯 명이
여섯 줄로 추는 춤을 출 수 있는데,

노나라는 원래 주공에게 주어졌던 땅이라 주공의 공을 기려
노나라에서는 천자의 예 즉 팔일무를 출 수 있는 특권을 주었어.
노나라만
특별히 허용~!
28명
추가!

제후의 아래 등급인 대부에게는 '사일무'
즉 네 명이 네 줄로 추는 춤이 허용되어 있었어.

계씨는 대부이므로 당연히 집안에서 '사일무' 밖에 출 수
없는데 버젓이 '팔일무'를 추게 한 거야.
왜?
안 돼?

그것도 다른 사람들이 다 보는 뜰에서 말이지.

공자가 이 소식을 듣고 "이런 짓을 할 수 있다면, 무슨 일을 하지 못하겠느냐?"며 분노했어.

(팔일편)

'이렇게까지 예가 무너지다니, 주공의 예로 돌아가 세상을 바로 세워야 한다. 그래서 나는 주공을 따르겠다.'는 게 공자의 생각이야.

공자의 이런 생각을 모든 사람이 지지한 것은 아니야.

어떤 사람은 "공자는 옛것만 지키려 한 '보수주의자'일 뿐이다."라고 비판하기도 했어.

공자를 비판한 사람들의 이야기를 한번 들어 볼래?

옛날에 하남이라는 곳에 복씨라는 사람이 살고 있었대.

복씨는 자기의 바지가 더러워지고 다 떨어지자

아내에게 새 옷감을 사다 주며 새 바지를 만들어 달라고 했어.

바지의 치수를 재던 아내가 물었어.
어떤 모양으로 지어 드릴까요?

복씨는 아무 생각 없이 대답했어.
헌 바지와 똑같이 해 주시오.

아내는 남편의 말대로 만들었지.
똑같이….

그래서 바지를 다 만들고 난 다음 헌 바지의 모양대로 구멍도 몇 개 뚫고

얼룩 자국도 만들어서 더럽고 다 떨어진 바지로 만들었어.

이렇게 공을 많이 들여 바지를 완성해서, 남편에게 갖다주며 자랑스럽게 말했어.
맘에 드세요? 헌 바지와 똑같지요?

《한비자》에 나오는 이야기래.
한비자

"옛날 왕을 본받아 요순임금에게로 돌아가자."라고 주장하던 그 당시 사람들을 비웃는 내용이지.
가자! 요순시대로
아~ 옛날이여~
피식
뭐래요?

여기서 요순임금은 정치를 잘해서 온 국민이 아무 근심 걱정 없이 살게 했다는 중국 전설 속 왕이야.

한비자의 눈에 공자는 새 천을 떠다가 헌 바지로 만드는 복씨의 아내와 같은 사람일 뿐이었지.

이쯤 되면, 또 헷갈리지?

'헌 바지 이야기'가 맞는 것 같기도 하고,

'온고지신의 가르침'이 맞는 것 같기도 하고…

과거와 현재와 미래는 각각 따로 존재하는 것이 아니잖아.

과거를 통해 현재가 있고 또 현재를 지나 미래로 가는 것이니까.

과거에 더 의미를 둘 수도 있고, 미래에 더 의미를 둘 수도 있지.

과거에 더 무게를 둔다고 해서, 옛것을 그대로 따르는 것도 아니고,

미래에 의미를 둔다고 해서 과거를 완전히 무시하는 것은 아니니까,

두 사람의 말이 다 일리가 있어.

제10장 친구는 어떻게 사귀어야 하나요?

진정한 우정이란?

포숙은 "관중의 집이 가난한 탓이야."라고 너그럽게 이해했지.
그럴 수도 있지! 가난한데….

함께 전쟁에 나가서는 관중이 세 번이나 도망을 쳤어.
아~ 무서워라.

사람들은 모두 관중을 비겁자라고 욕했지만
비겁하다니…

포숙은 "관중에게는 늙으신 어머님이 계시기 때문이야."라며 관중을 두둔했어.

당시 제나라의 임금 양공에게는 '소백'과 '규'라는 후계자가 있었어.
내 후계자들

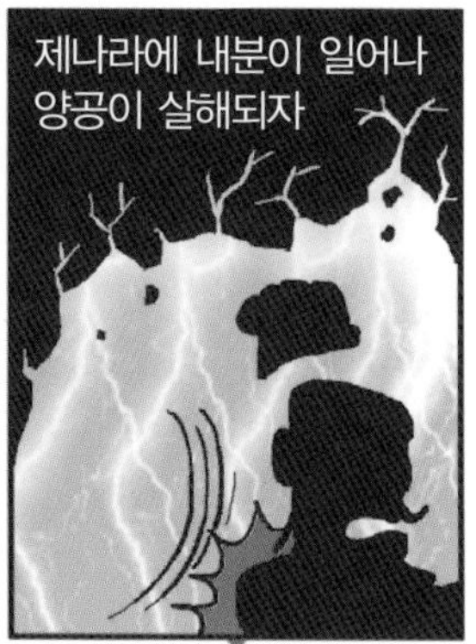
제나라에 내분이 일어나 양공이 살해되자

'소백'과 '규'는 다른 나라로 도망갈 수밖에 없었지.

포숙은 소백을 모시고 있었고,

관중은 규를 모시고 있었어.

제나라의 내분이 진정되자 후계자 싸움이 일어났어.
내가 왕이 돼야 해!
무슨 소리!

두 후계자 중 먼저 제나라에 돌아오는 사람이 왕이 되도록 되어 있었거든.
탕
출발!
부르릉~
끼이이이이익

절친한 친구 관중과 포숙은 '정치적 라이벌'이 된 거야.
제나라

규는 소백이 제나라로 먼저 돌아오는 것을 막기 위해 관중에게 소백을 죽이도록 명령했어.
빨리 빨리

친구가 모시는 분을 죽여야 하는 운명이라니?

소백을 죽이는 것은 포숙을 죽이는 것과 같지 않은가?
나를 죽이는 것은 친구를 죽이는 것이야!

그래도 관중은 화살을 쏘았고 소백에게 명중했어.

소백은 그 자리에 쓰러졌어.

규의 일행은 소백이 죽었으니 여유 있게 제나라로 돌아왔어.

그런데 이게 어찌 된 일인지,

소백이 먼저 돌아와 임금(환공이라 불림)이 되어 있는 거야.
늦었네?

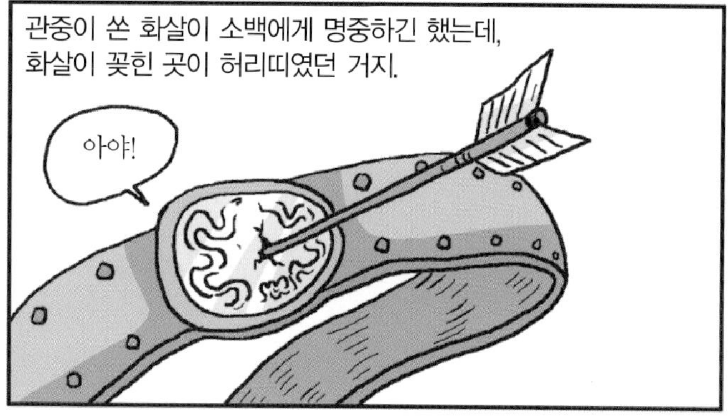
관중이 쏜 화살이 소백에게 명중하긴 했는데, 화살이 꽂힌 곳이 허리띠였던 거지.
아야!

화살을 맞은 소백이 죽은 척 쓰러져 있다가 다른 길로 재빨리 제나라로 돌아왔던 거야.

그리고 임금을 죽이려 했던 관중은 국가의 반역자로 압송되었지.

환공이 압송된 관중을 죽이려 하자, 포숙이 나섰지.
전하~!

"제나라 한 나라만 다스리는 것으로 만족하신다면 신(臣)으로도 충분할 것이옵니다.
제

하오나 천하의 패자(霸者)*가 되시려면 관중을 쓰시옵소서."

도량이 넓고 식견이 높은 환공은 신뢰하는 포숙의 진언을 받아들여
좋소!

관중을 재상으로 임명하여 정사를 맡겼어.
임명장!
위 사람을…

*패자 – 실력자라는 뜻.

관중은 환공을 도와 제나라를 바로잡아 강한 나라로 만들었지.
제나라

관중은 공자보다 앞서 살았던 사람이므로 공자 시대에 이미 신화가 되어 있었어.

《논어》에서 공자는 관중이 아내를 셋이나 두고,

개혁정치를 하면서 세금을 엄청 걷고,
세금

임금이나 할 수 있는 것을 자기 집안에 두는 사치를 부리는 등
사치

그릇이 작은 사람이긴 하지만, 천하를 바로 세울 만큼 능력은 있는 인물로 평가했어. (팔일편)
바로 세워!
일은 잘 했지.

관중은 인자가 아닙니다.

환공이 규를 죽였을 때 관중은 죽지 못하고 환공을 돕기까지 했습니다.

하지만 관중이 환공을 도와서 제후들의 패자가 되게 하였고,
齊

(헌문편)

관중은 훗날 포숙에 대한
감사한 마음을 이렇게
표현했다고 해.

또 그를 위해 한 사업이 실패하여
그를 궁지에 빠뜨린 일이 있었지만
나를 모자라다고 여기지 않았다.

와르르르

사업

나는 또 벼슬길에 나갔다가는
물러나곤 했었지만 나를
무능하다고 말하지 않았다.

휴~

또
그만뒀네.

내게 운이 따르고 있지 않다는 걸 알고 있었기 때문이다.
친구여! 언젠가는 운이 있을 거야.

어디 그뿐인가. 나는 싸움터에서 도망친 적이 한두 번이 아니었지만

나를 겁쟁이라고 말하지 않았다.
겁쟁이가 아니오.

내게 노모가 계시다는 걸 알고 있었기 때문이다.
관중아!

나를 낳아 준 분은 부모이지만 나를 알아준 사람은 포숙이다.
와락

진정한 친구가 단 한 명만 있어도 그 사람의 인생은 성공한 것이라는데, 관중과 포숙은 얼마나 행복한 사람인가?

공자는 "날씨가 차가워진 다음에야 소나무와 잣나무의 푸름을 안다."고 했어. (자한편)

날씨가 따뜻한 계절에는 모든 나무들이 푸르기 때문에 어떤 것이 진짜 푸른 것인지 알지 못하지만,

날씨가 추워지면, 감나무나 은행나무와 같은 활엽수들은 단풍이 들었다가 잎을 떨구어, 앙상한 가지만 남아.

반면에 소나무와 잣나무는 추운 계절에도 그 푸름을 유지하게 때문에

그때에 비로소 참된 푸름이 어떤 것인 줄 알게 된다는 거야.

진정한 우정도 이런 것이 아닐까? 평상시에는 다 좋은 친구인데,

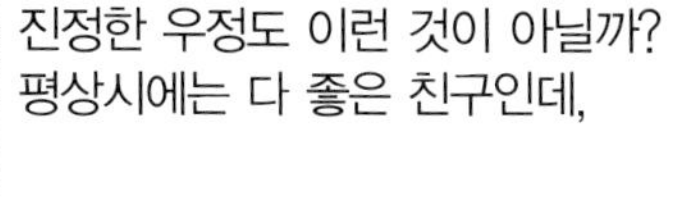

어려운 일이 생겼을 때도 곁에 있어 주는 친구가 있다면

비로소 그 친구의 우정이 진정한 우정인 것을 알게 된다는 것이지.

친구는 어떻게 사귀어야 하나요?

그렇다면 《논어》에서는 어떻게 친구를 사귀어야 좋은 관계를 맺을 수 있다고 했을까?

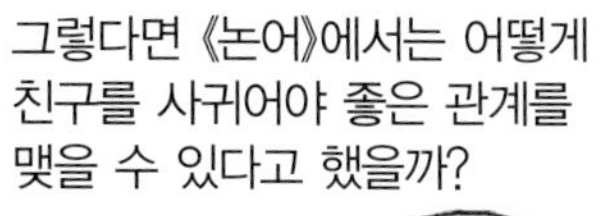

증자가 말하기를 "군자는 글로써 벗을 만들고

벗을 통해 인을 보충한다."(안연편)라고 했어.

'끼리끼리 논다' 라는 말이 있지? 사람들은 성향이나 관심이 비슷한 사람과 사귀는 것을 좋아해.

그래서 공자의 제자 증자는 글로써 벗을 사귀는 것이 좋다고 권하고 있어.
글 좀 쓰는데! 나랑 친구할래?

나아가 친구들을 통해 내가 좀 더 사람다운 사람이 될 수 있다는 것이지.
밝은 달아
달아~ 달아

그런데 어떤 친구를 사귀어야 증자처럼 친구를 통해 인을 보충할 수 있을까?
?
?
?

공자가 말하기를
도움이 되는 친구가 세 가지요,

해가 되는 친구가 세 가지가 있다.
뿡
뿡

정직한 사람,
내가 꼈소 …
뿡 ~

신의(믿음)이 있는 사람,
난 안껴!
약속~

견문이 넓은 사람을 사귀면 도움이 되지만,
요 방귀는 고구마 방귀로…

편견에 사로잡혀 있거나,
방귀 뀐 사람은 더러운 사람!

알랑거리기를 잘하거나,
너무 향긋한 방귀네요~.

말만 그럴 듯하게 둘러대는 사람을 사귀면 해가 된다.
어허….
어디서 묘한 북소리가 나네요.
뿡

이 말을 들으니 친구들이 떠오른다고?
얘는 착하긴 한데….
쟤는 너무…

하지만 이렇게 하다 보면
'나 홀로 잘난', '따' 되는 것은
시간문제겠지.
혼자 잘 먹고 잘 살아!
흥~! 너 잘났어!

공자의 가르침은 그런 의미만은
아닐 거야!
의미는?

공자의 말씀으로 친구들을
재단하기보다
공자님
말씀

나는 친구들에게 어떤 사람이었는가를
묻는 것이 먼저가 아닐까?
나는요~ 게으르고요…
속좁고요…
잘 안씻고요~
그리고…
또…

공자는 "세 사람이 길을 가면
반드시 내 스승이 있다.
스승?

잘난 사람에게는 그렇게
되기를 배우고
에헴…

못난 사람에게는 저래서는 안 되겠다는
것을 배운다." (술이편)

"어진 덕을 갖춘 사람을 보면 그 사람과 같아져야겠다고
생각하게 되며,

어질지 못한 사람을 보면
혹시 내 속에 그와 같은 점이 있는지
스스로 반성하게 된다."(이인편)고 말했어.

공자는 도움이 되는 벗에게서는
어떻게 해야 할지를 배우려 하고,

해가 되는 벗에게서는 나를
반성하며

그렇게 하지 말아야 하는 것을
배워야 한다고 하셨거든.

좋은 벗은 좋은 벗대로

나쁜 벗은 나쁜 벗대로

늘 나의 사람됨을 만들어 주는 것이
벗이라는 뜻이지.
사람 됐다!

그런데 나한테 그럴 만한 능력이
없다면 어떨까?
능력
친구

친구의 좋은 것은 시샘만 하고
쳇….

친구의 나쁜 것만 따라한다면,

원래 몸에 좋은 약은 입에 쓰고, 몸에 나쁜 것은
입에 단 경우가 많아서, 좋은 것보다 나쁜 것을
따라하기 쉽잖아!

이것을 걱정했는지 공자는 이렇게 말했어.
나보다 못한 사람과는
사귀지 말라!
나보다
게으르지도
못하고…

아니 그렇게 심한 말을
하다니!
말씀들었지? 헤어져…

공자님 말대로 하면 우리 반
꼴등은 친구가 한 명도 없겠네!
꼴등
어때서?!

'공부도 못하고, 잘하는 것 없는 사람은
누구랑 놀라고 이런 말씀을 하신 거야.'
하는 의문이 들겠지?
그러게.. 나도 꼴등이었는데….

그런데 한번 더 생각해 봐! 세상 사람들이
모두 포숙에게 관중을 욕했잖아.
관중 수준이 떨어져~
관중이 어쩌고 저쩌고

'같이 사업하면 사기 치고, 사업을 망해 먹어 손해를 끼치고,
싸움에 나가면 도망이나 치고, 어디 포숙보다 나은 점이 하나라도
있느냐?' 라고
나은 점이 있나?

그래도 포숙은 관중을 알아보고 관중을 재상으로 추천해서
환공을 천하의 패자로 만들었잖아.
관중이
훌륭합니다~
화이팅

겉으로 보기에 나보다 못한 사람과 사귀지
말라는 뜻이 아니라

친구의 다른 면을 보고 자신을 향상시키려고 노력하라는 의미가 아닐까?

친구가 잘못을 했을 때는 어떻게 해야 할까?
시끌시끌
덜커덩
벌떡

공자의 제자 자유가 말하기를 "임금을 섬긴다고 자주 '아니 되옵니다' 라고 말하면
전하~ 또 아니 되옵니다~!

곤욕을 치르는 경우가 생기고,
듣기 싫어!
질질질

친구 사이라고 지나치게 조언하면
조용히 좀 해!

사이가 멀어진다."라고 하였다.

맞는 말이지? 역사를 보면 못된 임금에게 바른말 하다 죽은 신하가 한둘이 아니잖아.
바른말 신하들 친목계를 시작합니다.
요즘은 바른말 하는 사람들이 없나?

잘못된 것을 보고 바른말을 하는 그분들이 훌륭한 것은 맞지만 곤욕을 치르게 되잖아.
곤욕이 무서워 바른말을 못하리?

친구 사이에도 그래. 아무리 친한 사이라도
공부나 하지.

나의 잘못을 너무 자주 지적하고 지나치게 참견하면
공부가 되겠어?
그냥 놀아!

나의 잘못을 반성하기보다 불쾌한 마음이 들게 마련이잖아.
불·쾌………

나의 잘못을 지적해 주는 사람이
진짜 친구이긴 하지만,
야~ 조용히 좀 하자고!
벌떡

너 잘 났다!
기분 나빠!

우정을 손상하지 않을 만큼의 조언을 할 줄 알아야 한다는 말씀이지.
뜨끔!
수다 수다
친구야. 얘기 중에 미안한데.. 내가.. 집중이 안 되어서...

아.. 다음에 네가 발표할 시간이지.. 깜빡했네.
미안

공자는 친구를 어떻게 대했을까?
응?

공자의 어릴 적 친구 원양이 쭈그리고 앉아서 공자를 기다리고 있었어.
공자 집
외출중
이제나 저제나

여기서 잠깐! 원양은
자기 어머니가 죽었는데

노래를 불렀던 사람이라고
기록되어 있는데,

아마 젊어서는 노자나 장자의 생각을 쫓았던
인물인 것 같아.
자연의 순리~
무위자연
죽음은 새로운 자유의 시작~
!

공자가 친구 원양을 보더니
친구야!

반가워하기는커녕 정강이를 때렸어.
아야 아야
왜 이러나? 친구~

"어려서는 공손하지도, 조심하지도 않았고,
우헤헤헤
어이쿠~

어른이 되어서는 칭찬할 만한 것도 없더니,
후비적
쯧쯧쯧쯧쯧....

늙어서 죽지도 않는구나!
장수의 비결이?
욕을 많이 먹어….
농담~

이런 자식이 도둑놈이다."라고 말이야.

또 어떤 친구가 죽어서 빈소를 차릴 곳이 없자
빈소도 없고 불쌍해라~

(헌문편)

공자는 자기 집에 빈소를 차리게 했고.
아이고 아이고!!
고마워요~
공자집
喪

친구가 보낸 선물은 아무리 비싼 수레나 말이라 할지라도 고맙다고 하지 않았어.

(향당편)

이 책을 읽는 동안 적어도 몇 가지 의문은 생겨야 책을 제대로 읽었다고 할 수 있지.

논어

좋은 사람이란?

좋은 사람이란 어떤 사람일까?
그럼 또 《논어》를 들여다볼까?

공자의 제자 자공이 공자에게 물었어.

진정으로 좋은 사람이란 마을의 좋은 사람이 좋아하며

마을의 좋지 않은 사람들이 미워하는 사람이라고 할 수 있지.

이것은 무슨 말일까? 사람들이 모두 좋아하는 사람이 좋은 사람이라고 할 수 없다니…
……

(자로편)

찬찬히 생각해 보자! 먼저, 세상의 모든 사람이 미워하고, 모든 사람이 좋아하는 사람이 있을 수 있을까?

실제로 그런 사람은 없을 거야. 공자가 여기에서 주목하는 것은 바로 그 점이야.
그래!

모든 사람이 싫어하는 사람은 어떤 사람일까?
싫어
나도
싫어~
싫다
나도

아마 자기 멋대로인 사람이겠지. 자기 마음 내키는 대로 행동하고,
내 맘이야~

다른 사람에게 함부로 대하고, 자기 이익이나 챙기는 사람!
내가 먹자~

그러니 다른 사람들이 싫어할 거고. 당연히 나쁜 사람이지.

그러나 모든 사람이 좋은 사람이라고 칭찬하는 사람,
좋은 사람이야..

심지어 나쁜 사람들이 "좋은 사람이야."라고 말하는 사람은 어떻게 행동할까?
좋아 좋아~

나쁜 사람이 나쁜 행동을 해도 모른 체하겠지.
쉿

심지어 칭찬하며 도와주기까지
할 거야.
잘했어!

진심으로 그렇게 생각해서라기보다는 자신의 이익을 얻기 위해서 말이야.

일제강점기에 일본에 협조했던
'친일파'를 일본 사람들은 나쁜
사람이라고 했을까 좋은 사람이라고
했을까를 생각해 보면 쉽겠지?

독립운동가가 좋은 사람이고
친일파가 나쁜 사람이었음을
역사가 증명하지만,
대한독립만세!
쾅

일본 사람들에게는
'안중근 의사'나 '윤봉길 의사'가
나쁜 사람이겠지.

물론 친일파들은 좋은
사람일 거고 말이야.
좋아

공자는 나쁜 일에 타협하고 기회주의적으로
행동하면 사람들에게 좋은 평가를 받을 수
있을지는 모르지만
잘 닦네!

그것은 진정으로 좋은 사람이
아님을 지적하고 있어.
으르르르릉

그래서 "진정으로 좋은 사람이란 좋은
사람들이 좋아하고

좋지 않은 사람들이 미워하는 사람이다."라고 한 거지.

공자는 물에 물 탄 듯, 술에 술 탄 듯 "이것도 좋고, 저것도 좋다."는 식으로 생각하는 사람이 아니야.

어떻게 보면 굉장히 냉정한 구석이 있지.

공자의 말씀이 훌륭한 것 같긴 한데,

어떤 사람이 좋은 사람이고 어떤 사람이 좋지 않은 사람인지를 어떻게 알 수 있을까?

우리들은 인간이라 아무리 나쁜 사람이라고 하더라도 나에게 잘해 주면 좋은 사람이라 느끼고,

아무리 좋은 사람이라도 나를 싫어하면 나도 그 사람이 싫어져 버리는 경향이 있잖아.

어떤 사람이 좋은 사람인지, 좋지 않은 사람인지 판단하기는 쉬운 문제가 아니야.

공자가 생각하는 좋은 사람은 어떤 사람이었을까?

공자의 말씀을 들으면 좋은 사람이 누구인지 아는 것이 조금은 쉬워지지 않을까?

군자불기(君子不器)

군자는 공자가 생각하는 좋은 사람, 즉 이상적인 인간을 일컫는 말인데,

공자가 말하길

군자는

아니 不(불), 그릇 기(器)
≠

즉 그릇 같은 사람이 아니래.
그릇이 넓긴 한데 군자는 아니군요.
냉면 그릇

무슨 소리인가 하면, 그릇은 보통 그 용도가 정해져 있어.
맞아.

국그릇, 밥그릇, 물컵, 소주잔 등등,

소주잔에 물을 담아 먹는다고 물을 못 먹거나 큰 일이 나는 것은 아니지만,
너 들킨다!
물탔지?

특별한 상황이 아니고는 소주잔에 물을 담아 먹는 사람은 별로 없는 것처럼,
우린 소주잔이다!

그릇은 그 용도에 맞게 쓰일 뿐이지.
밥그릇에 막걸리 담아 봤어?
아니~

여기에서 그릇 같은 사람은 '어떤 특정한 기능을 가진 사람' 이라는 뜻이야.

우리가 흔히 하는 말로 '전문가' 라는 말이지.
나 말고!

공자는 훌륭한 사람은 '어떤 분야에만 특별한 능력을 가진 전문가' 가 아니라

폭넓은 지식과 능력뿐 아니라 인격을 갖춘 사람이라고 생각한 거야.
삐리삐리비~ 박사님 인격을 갖추세요.

그래서 공자는 자로의 질문에
완성된 인간은 어떤 사람인지?

장무중의 지혜와 맹공작의 무욕(욕심이 없음),
지혜
무욕
가져.

변장자의 용기, 염구의 재능을 갖고
용기
왜 이러세요.
가봐!
재능

여기에 예와 음악으로 꾸미게 되면 완성된 인간이 될 수 있을 것이라고 했어.
예~이예~
예~
좌장~장~

(헌문편)

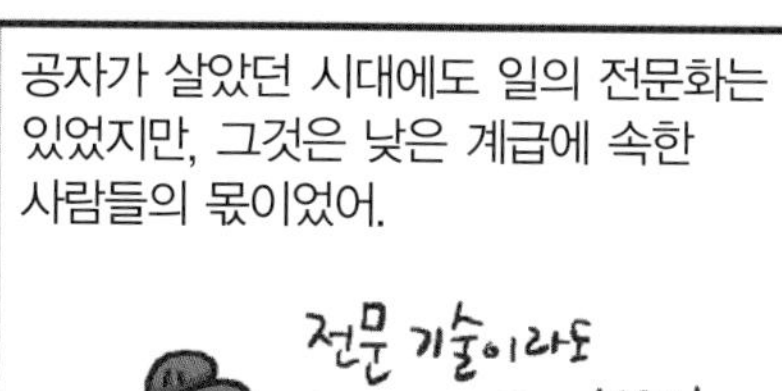
공자가 살았던 시대에도 일의 전문화는 있었지만, 그것은 낮은 계급에 속한 사람들의 몫이었어.

전문 기술이라도 있어야 먹고살지.
넵

제자 번지가 농사짓는 법을 배우고자 청하니
농사나 지어볼까…
수레는 누가?

공자가 이렇게 대답했어.
농사에 관한 한 나는 늙은 농부보다 못하다.

다시 채소밭을 가꾸는 법을 배우고자 청하니
그럼 채소밭은?

또 공자는 이렇게 대답했어.
채소밭을 가꾸는 법에 관한 한 나는 늙은 채소 농사꾼보다 못하다.

그러고는 번지가 나가자 이렇게 말했어.
번지는 소인이구나!

윗사람이 의리를 좋아하면 백성들 중에서 어느 누구도 감히 복종하지 않는 사람이 없으며,

의리!

(자로편)

(위령공편)

다른 것들은 부족해도 상관없다는 입장이지.
금촌
일산
탄현
운전은 잘 하지만 글을 안 배워서…

그러나 아무리 밥이 중요해도 밥만 먹으면 영양 결핍으로 문제가 생기는 것처럼,
골고루 먹어~

사람도 어떤 부분에만 전문성을 갖춘 사람이 훌륭하다고 할 수 있을까?
컴퓨터 전문가입니다!

'전문가'는 일을 잘 처리하는 능력이 있는 사람이므로 유능한 사람은 되겠지만 훌륭한 사람이라고 할 수는 없을 거야.
찾았습니다. 중국집!
군만두도 주세요.

동서양을 막론하고 귀족들은 시도 읊고
시몬~ 넌 아느냐…

말도 타도 활도 쏘고 창칼도 다룰 줄 알았어.

공자의 학교에서도 예(예절), 악(음악과 춤),
수업시간표
月 火 水 木
1 예 악 사 어

사(활쏘기), 어(마차몰기),
워워~

서(글쓰기), 셈하기(수) 등을 모두 배웠지.

전문성만을 강조하는 논리는 자칫하면 사람을 기계의 한 부품처럼 생각하거나 사람을 효율성을 높이는 도구로만 생각할 수도 있어.

그러나 사람은 무엇을 얻기 위한 도구가 아니라

그 자체로 소중한 존재야.
도구

지나친 것은 부족한 것만 못하다

(선진편)

똑똑하고 유능한 자공이 듣기에 자장이 더 낫다는 말로 들렸겠지.
지나치다.
부족한 거 보다야…

그래도 혹시나 싶어 다시 선생님께 여쭈었지. 누가 더 나으냐고,
그러니까 누가….

그런데 공자는 나대는 자장보다 존재감 없는 자하가 더 나은 사람이라는 거야.
아..
자하!

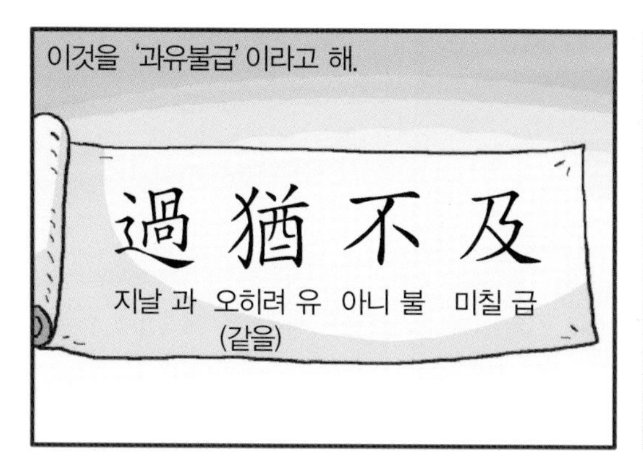
이것을 '과유불급'이라고 해.
過 猶 不 及
지날 과 오히려 유 아니 불 미칠 급
(같을)

지나다, 초월하다는 뜻을 가진 과(過)와
윽.. 지나쳤다.

오히려 유(猶), 아니 불(不),
아니라고 했지~
안녕~

미치다, 이르다의 뜻을 가진 급(及)이 합쳐진 말이야.
조금만 더 거의 다 이르렀어.

즉 지나친 것은 부족한 것만 못하다는 말씀이야.
으아아아

과유불급은 '중용'이라는 말과 통해.
과유불급
중용

중용은 가운데 중(中), 쓸 용(庸)이 합쳐진 말로
中 庸
가운데 중 쓸 용

유교에서 아주 중요하게 생각하는 말이야.
중용

중은 어느 쪽으로도 치우치지 않은 것,
지나치지도 모자라지도 않은 것이고,
中

용은 변함없다는 뜻이야.
庸

즉 어느 쪽에도 치우치지 않고,

지나치지도 모자라지도 않은 것을
변함없이 유지할 수 있는 사람이
훌륭한 사람이라는 뜻이야.

그래서 공자는 이렇게 말했지.
어느 곳에서 무슨 일을 하든,
꼭 해야 하는 일도 없고,

꼭 하지 말아야 하는
것도 없어서

다만 적절함에 따를 뿐이다.
(이인편)

중용이라는 말을 중간이라고 생각하기
쉽지만,
중간?

그것은 아주 잘못된 생각이야.
아니야!

우리 속담에 "가만히 있으면
중간이라도 간다."는 말이 있는데,

중용은 그런 뜻이 아니야.
넌?
그게
아니라….
어디야!

검정과 하양을 섞어 회색과 같은
상태가 되는 것이 아니라,

검정은 검정으로 하양은 하양으로
원래의 상태를 유지하는 것이
중용이라고 할 수 있지.
난 하양.
난 검정.

'회색분자'는 검정도 아닌 것이 검정인
체하기도 하고, 하양도 아닌 것이
하양인 체하기도 하는 사람을 비웃는
말로

가짜가 진짜인 체하면
안 된다는 것이야.
나도 사실은
검은색과 가까워.

중용에 대한 쉬운 예를 들어 볼게.
잘못된 일(불의)을 보았을 때,
못 본 체하고 숨어 버리는 사람은
비겁하다고 하지.

반대로 큰소리만 뻥뻥 치면,
만용을 부린다고 하지,
뻥
뻥
저런 녀석들은!
이얍!

불의와 싸워 이기면 '용기' 있는
사람이라고 하는 것처럼,
25

중용은 비겁하지도
만용을 부리지도 않으면서
용기 있는 행동을 말하는
것으로
쾅

어느 쪽에도 치우지지 않은 가장
최적의 상태를 나타내는 말이야.
비겁
용기
만용

공자는
중용의 덕은 정말
지극하구나!
이 덕을 가진 사람이
드물어진 지 오래구나.

이렇게 탄식하면서도 스스로
그렇게 살고자 노력했던 분이었지.

그래서 사람들은 공자를 보고
이렇게 평가했대.
따뜻하면서도
엄격했고,

위엄이 있으면서도 노여워하지
않았으며, 공손하면서도 태연했다.

(술이편)

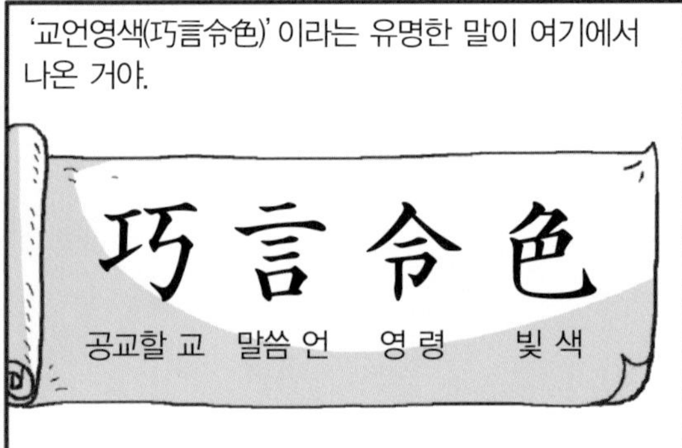

공자는 말과 행동에
대해 제자들에게 많은
말을 했어.

말,
행동

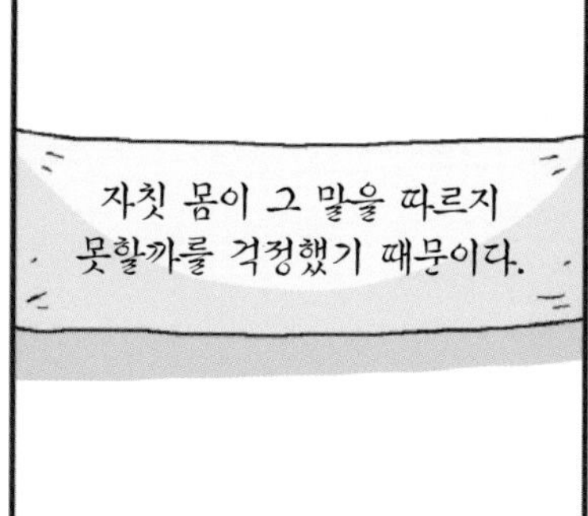

(이인편)

(이인편)

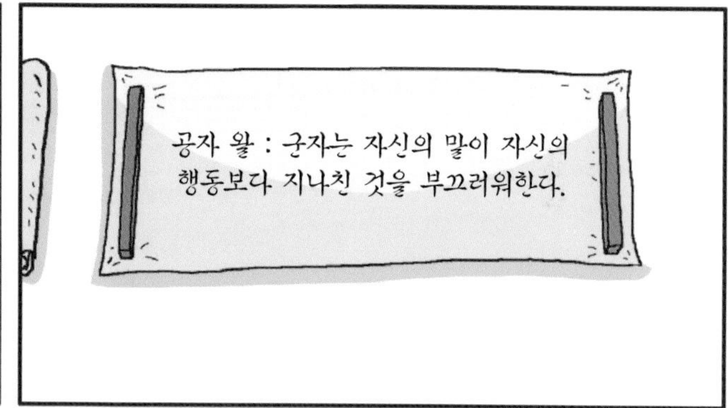

(헌문편)

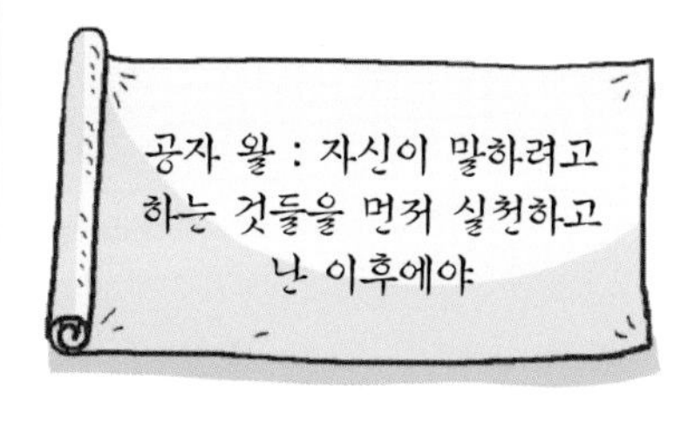

(위정편)

즐기는 것이 최고의 경지!

子曰 知之者不如好之者
(자 왈 지지자불여호지자)

아는 것은 좋아하는 것만 못하고,

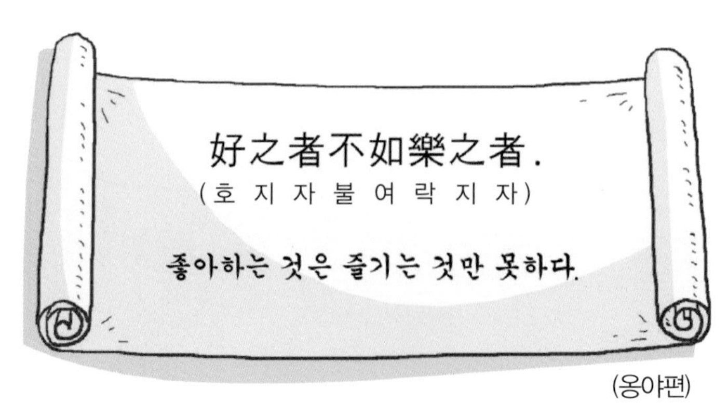

(옹야편)

좋아하는 것과 즐기는 것은 무엇이 다를까?
난 즐기지~
!

좋아하는 것은 진리를 자기 것으로 삼지 못한 상태임에 비하여,

즐기는 것은 그것을 완전히 터득해서

자기 것으로 삼아 생활화하고 있는 경지라고 할 수 있겠지.

축구선수의 예를 들어 생각해 볼까?

어떻게 하면 축구를 잘할 수 있는지 잘 아는 선수와
이렇게 해서
이렇게…

축구를 좋아하는 선수,

축구를 즐기는 선수가 있어.
깔깔깔 깔

축구에 대해 잘 아는 사람이 축구를 잘하겠지.
여기서 길게 패스하자….

축구를 좋아하는 사람은 누가 시키지 않아도 축구를 열심히 할 거야.

내가 좋아서 하는 일이니, 의욕도 넘치고
축구 합시다~

성과에 상관없이 계속하겠지.
경기 끝났어요.
집에 가세요!

즐기는 것은 좋아하는 것보다 더 강한 느낌을 포함해.
그래, 즐기자.

내가 즐거워하는 일을 할 때는 배도 안 고프고

잠도 안 오잖아.

축구를 즐긴다고 해서 축구를 꼭 잘하는 것은 아니겠지만,

축구를 통해 행복을 느낄 거야.

그래서 아는 것은 좋아하는 것보다 못하고
실례~!

좋아하는 것은 즐기는 것만 못하다고 하셨나 봐.
통

내가 무엇을 하고자 한다면, 아는 것에만 집착하지 말고,

좋아하고, 나아가 그것을 즐길 수 있다면 성과도 더 좋아지고,

내 삶도 훨씬 행복해질 거야.

잘못을 하고도 고치지 않는 것이 잘못!

子貢曰,	君子之過也,	如日月之食焉,
자 공 왈,	군 자 지 과 야,	여 일 월 지 식 언,
자공이 말하기를	군자가 잘못을 저지르는 것은	마치 해와 달에 일식과 월식이 있는 것과 같다.

過也,	人皆見之,	更也,	人皆仰之
과 야,	인 개 견 지,	경 야,	인 개 앙 지
잘못을 저지르면	사람들이 모두 그것을 보게 되고,	잘못을 고치면	사람들이 모두 그를 우러러 본다.

(자장편)

子夏曰,	小人之過也必文
자 하 왈,	소 인 지 과 야 필 문
자하가 말하길	소인은 잘못을 저지르면 반드시 꾸미려고 한다.

(자장편)

過而不改是謂過矣
과 이 불 개 시 위 과 의
잘못을 하고도 고치지 않는 것이 잘못이다.

(위령공편)

신은 완전한 존재이지만,

인간은 본질적으로 불완전한 존재이지.

인간은 처음부터 불완전하게 생겼기 때문에

아무리 훌륭한 사람이라 할지라도 잘못을 저질러.
앗! 내잘못~
야옹~!

군자도 소인도 잘못을 저지른다는 점에서는 같아.
군자도 사람이구만~

그러나 군자와 소인의 잘못에는 차이점이 있어.
뭐가? 왜?

첫 번째, 군자는 훌륭한 사람이기 때문에
상장!
군자.
위 사람은 훌륭한 사람으로…

잘못을 저지르는 횟수가 소인보다 훨씬 적다는 거야.
다르긴 다르군.

그래서 공자는 군자가 잘못을 저지르는 것을 일식이나 월식이라고 표현했지.
몇십 년만에 한 번 볼 수 있다니….

두 번째, 소인은 자신의 잘못을 꾸미려고 하지만,
후보자 청문회
기억 안 납니다.
오해요.
난 모르는….
후보자

군자는 자신의 잘못을 고친다는 점이야.
제 잘못입니다.

사람들은 대부분 처음 잘못한 것은 이해하는 경향이 있어.
처음이니까 용서해 주는 거야.

누구나 잘못을 할 수 있다는 것을 알기 때문이지.
뿡
뿡

그러나 그 잘못이 반복되면, 상황이 달라져.

운동경기에서도 첫 번째 두 번째 잘못은 경고를 주지만,
1, 2..

세 번째는 퇴장을 시키잖아.
3!

진짜 잘못은 잘못을 저지른 것이 아니라,

잘못을 저지르고도 고치지 않는 것이지.

군자는 자신의 잘못을 고치고 또 고치면서

여러 사람들에게 존경받고 훌륭한 사람이라는 소리를 듣게 되는 거야.
와
와
와와
와
홈~런~
딱

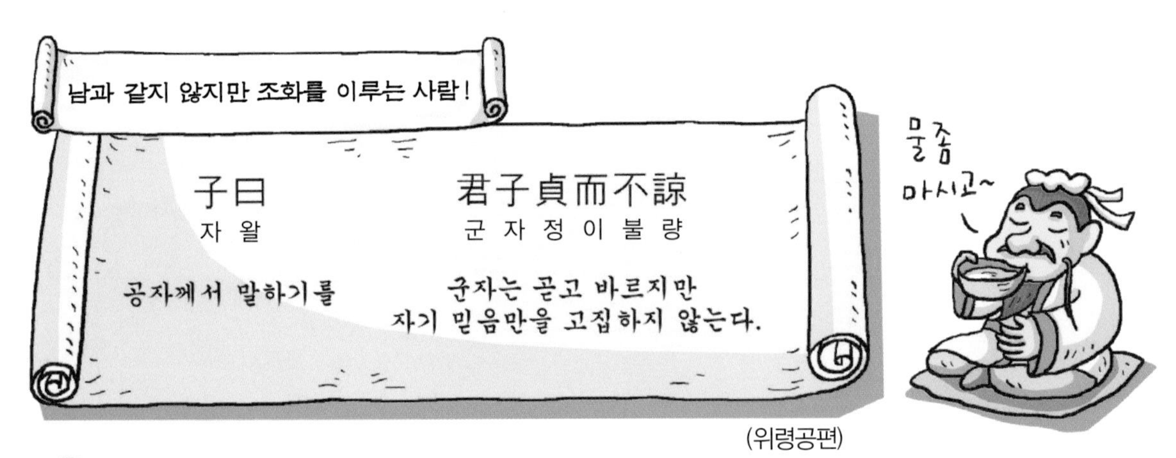

남과 같지 않지만 조화를 이루는 사람!
子曰
자 왈
君子貞而不諒
군 자 정 이 불 량
공자께서 말하기를
군자는 곧고 바르지만
자기 믿음만을 고집하지 않는다.
물 좀 마시고~

(위령공편)

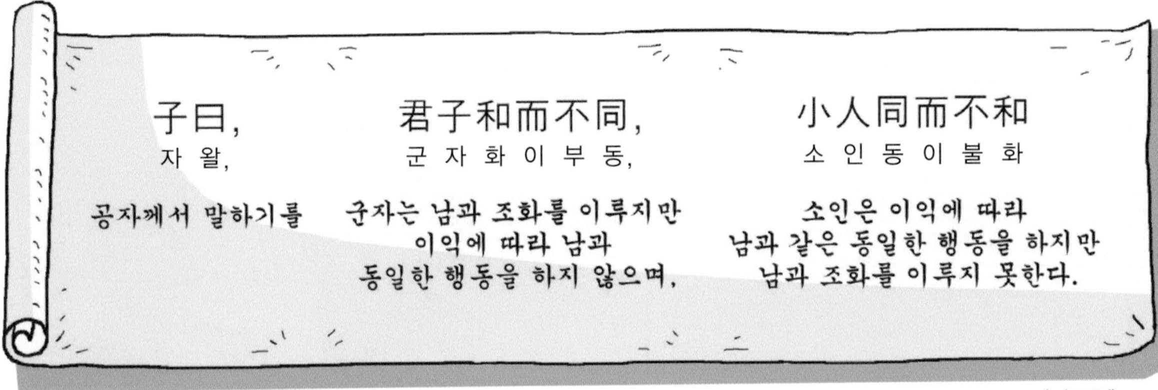

子曰,
자 왈,
君子和而不同,
군 자 화 이 부 동,
小人同而不和
소 인 동 이 불 화
공자께서 말하기를
군자는 남과 조화를 이루지만
이익에 따라 남과
동일한 행동을 하지 않으며,
소인은 이익에 따라
남과 같은 동일한 행동을 하지만
남과 조화를 이루지 못한다.

(자로편)

화이부동이란 화할 화(和),
말이을 이(而),
조화롭지만~

아니 부(不), 같은 동(同).
같지는 않아~

조화를 이루지만 똑같지는 않다는
아주 멋진 말이야.

노래를 못 부르는 사람, 음치들은
음을 제대로 잡지 못해.

낮은음은 웅얼웅얼 어떻게 해 보는데,
웅얼웅얼~

높은음이 나오면 난감하지.

음은 높여야 하는데 소리는 안 올라가니
별 수 없이 소리만 꽥꽥 지르게 돼.
꽥! 꽥!!

음치들이 합창을 하면 옆자리에 선 사람이 소프라노이면
자기는 알토인데도 소프라노를 따라 부르지.
넌 알토~
나도~
소프라노~

가끔 소리까지 지르면서
말이야.
꽥~ 꽥

하지만 노래를 잘하는 사람도
음흠~

혼자만 잘났다고 너무 튀게 부른다든지 하면
땡땡땡땡
학교종이

전체 노래가 조화롭지 못하겠지?
자~~
어서 모이

공자가 말하는, 소인은 다른
사람과 동일한 행동을 하지만

다른 사람과 조화를 이루지 못한다고
한 말이 이런 뜻이야.

그래서 군자는 곧고 바르지만

자기만 옳다고 주장하지 않으면서 조화를 만들어 낼 수 있는 사람이지.
선생님이 우리를~ 기다리신다~

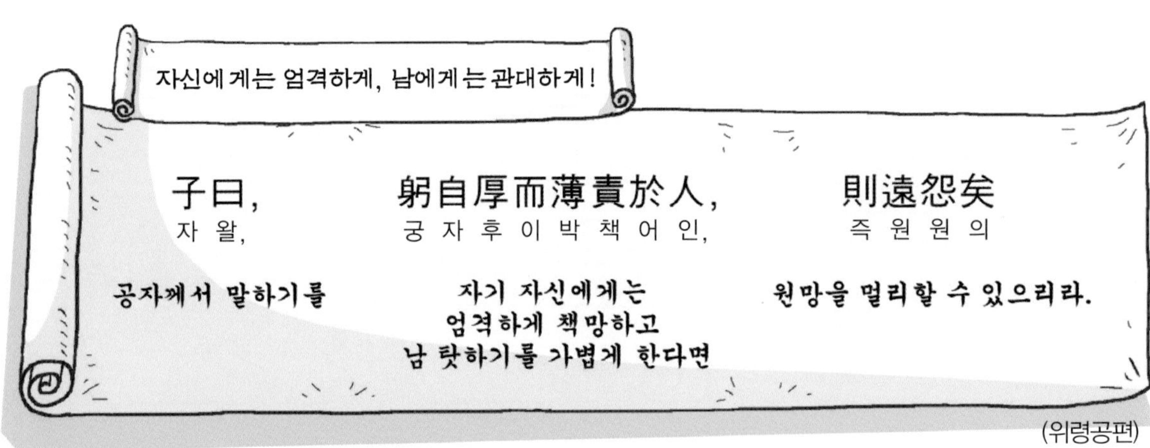
자신에게는 엄격하게, 남에게는 관대하게!
子曰,
자 왈,
공자께서 말하기를
躬自厚而薄責於人,
궁 자 후 이 박 책 어 인,
자기 자신에게는
엄격하게 책망하고
남 탓하기를 가볍게 한다면
則遠怨矣
즉 원 원 의
원망을 멀리할 수 있으리라.

(위령공편)

《탈무드》에 나오는 두 소년의 이야기야.
탈무드

한 학자가 랍비를 찾아와
배움을 청했어.
공부 좀….

랍비는 당신은 배울 자격이 없다고
거절했지.
싫은데….

그러자 학자는 자격이 있는지 없는지
시험을 해 달라고 청했어.
자격시험
1차 봅시다!

그래서 랍비가 문제를 냈어.
두 소년이 굴뚝 청소를
하기 위해 굴뚝에 들어갔어.

얼마 후에 두 소년은 굴뚝을
청소하고 밖으로 나왔지.

그런데 한 아이의 얼굴에는 시커먼
그을음이 잔뜩 묻어 있는데,

다른 아이의 얼굴에는 그을음이 하나도
없는 거야.

두 아이 중에 누가 얼굴을 씻었을까?

그 학자는 자신 있게 대답했지.
하하하
저걸 문제라고….
답은~

얼굴에 시커먼 그을음이 묻은 사람이지요.

랍비는 쌀쌀하게 대답했어.
역시 당신은 배울 자격이 없소.

제 대답이 틀렸다고요?
그럼 누가 세수를 한단 말입니까?

그러자 랍비가 설명했어.
두 소년이 함께 굴뚝 청소를 하고 내려왔을 때

얼굴이 새까맣게 된 소년은 깨끗한 얼굴의 소년을 보고 이렇게 생각할 것이네.
아, 내 얼굴도 저렇게 깨끗하겠지.

반대로 얼굴이 깨끗한 소년은 새까맣게 된 소년의 얼굴을 보고 저렇게 생각하게 된다네.
아, 내 얼굴도 저렇게 새까맣겠구나.

그러니 누가 얼굴을 씻겠나?
곰곰……

랍비의 이야기를 듣던 학자는 무릎을 치며 소리쳤어.
아, 이제야 알 것 같군요.

랍비님, 제게 한 번만 더 기회를 주십시오.

랍비는 같은 질문을 다시 했어.
좋아. 이번에는 잘 듣고 대답하게나.

두 소년이 함께 굴뚝 청소를 했는데
콜록 콜록

한 소년은 깨끗한 얼굴로 다른 소년은 더러운 얼굴로 내려왔네.

두 소년 중 누가 얼굴을 씻겠는가?
어라? 생각할 것도 없이...

학자는 큰 소리로 대답했어.
그야 물론 얼굴이 깨끗한 소년입니다!

랍비는 아까보다 더 쌀쌀맞고 차가운 목소리로 말했어.
자네는 자격이 없네.

학자는 기가 죽어 다시 물었어.
랍비님! 도대체 누가 세수를 한단 말입니까?

랍비가 말했어.
두 소년이 모두 씻어야 하네. 두 소년이 같은 굴뚝을 청소했는데

한 아이는 깨끗한 얼굴로, 한 아이는 더러운 얼굴로 나온다는 것은 있을 수 없는 일이니까.
!

우리나라 속담에
"자기 눈에 든 들보는
보지 못하면서
들보?
어디?

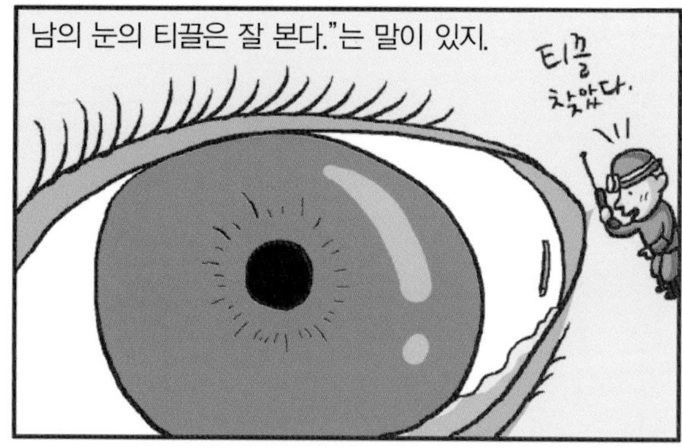
남의 눈의 티끌은 잘 본다."는 말이 있지.
티끌
찾았다.

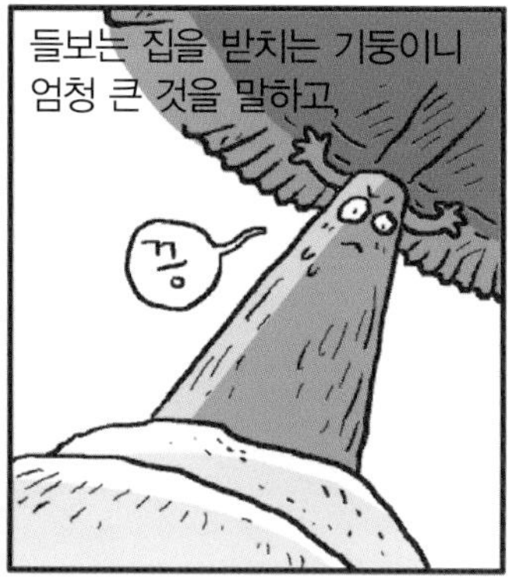
들보는 집을 받치는 기둥이니
엄청 큰 것을 말하고,
끙

티끌은 눈에도 잘 띄지 않는
아주 작은 먼지를 말하지.
내 이름은
'티끌 모아
태산' 이라고
하지.

당연히 기둥이 잘 보이고 티끌이 잘 안 보여야
마땅하겠지만,
티끌
목소린데…
들보야~

사람들은 자신의 잘못은 아주
큰 것이라 할지라도
괜찮아.
내
잘못

'어쩔 수 없는 것' 이라고 생각하지만,
어쩔 수
없잖아.
내
잘못

남의 잘못은 아주 작은 것이라도
그럴 수가 있냐고 따지기 쉽거든.
그럴 수 있어?
내
잘못
남의
잘못

또 다른 경우, 친구가 나한테 빌려 간
체육복에 구멍을 내면
!
야!
물어줘!!
찌익~

당연히 물어 줘야 하고,
이렇게…?
아니!
돈으로!

내가 구멍을 내면 친구들끼리 그럴 수도
있는 일이라며 넘어가면 어떻겠어?
에이… 괜찮지?
그럴 수도
있지!
내
바지!
찌이익

남이 친구 욕을 하고 다니는 것은
친구 욕~
여기서 욕
저기서 욕

입이 싸다는 증거이고,
싸다

내가 친구 욕을 하고 다니는 것은
있잖아!
그 친구~

누구라도 그 친구 때문에 피해를 보는 사람이 없기를 바라기 때문이라고 하지?
조심하라고
멍-

불량배한테 당하고 있는 친구를 남이 외면하면

겁쟁이라고 흉을 보고,
겁쟁이!

내가 외면하는 것은 괜히 망신만 당할까 봐 그랬다고 변명하지.
바빠서

웃기는 얘기 같지만, 우리도 그럴 때가 있잖아.
있지?
있지?
있지!
헉헉
끽

그래서 공자는 나에게는 엄격하게 하고

남에게는 관대하게 해야 원망이 없다고 했어.
괜찮아, 괜찮아,
다친 데 없지?

子夏爲莒父宰, 問政, 子曰, 無欲速,
자하위거보재, 문정, 자왈, 무욕속,

자하가 노나라 '거보'라는 곳의 책임자가 되어 정치에 대해 물었다. 공자가 말씀하시기를 "너무 빨리 이루어지기를 바라지 말고,

無見小利, 欲速則不達, 見小利則, 大事不成
무견소리, 욕속즉부달, 견소리즉, 대사불성

작은 이익을 따지지 말라. 빨리 이루어지기를 바라면 오히려 달성하지 못하고 작은 이익을 따지면 큰 이익을 이룰 수 없다."

(자로편)

중간고사 점수도 내 인생의 목표를 향해 가는 중에 잠시 얻고 싶은 것일 텐데.
5

진짜 목표는 간 곳이 없고,
?

당장 눈앞의 것만 보게 되지.
목적지

너무 빨리 이루려고 하면 오히려 달성하지 못하고,
빨리~ 빨리~

작은 이익을 따지면 큰 이익을 얻지 못할 수 있다는 말씀!

잘난 체 NO! 인색함 NO!
子曰,
자 왈,
공자가 말씀하시길,
如有周公之才之美,
여 유 주 공 지 재 지 미,
설령 주공과 같은 아름다운 재주를 가졌다 할지라도
使驕且吝,
사 교 차 린,
교만하고 인색하다면

其餘不足觀也已
기 여 부 족 관 야 이
그밖의 것은 더 이상 볼 필요가 없다.

(태백편)

공자가 제일 존경하는 사람이
주공이라고 했던 말 기억하지.
주공 포에버

꿈속에서도 그리워하며 닮고 싶어
했던 그 주공이라도
주공~ 주공~

잘난 체하고 뽐내고 건방지고,
인색하다면
바쁘다고 없다 그래!

다른 것은 더 볼 것 없다는 말씀이지.
….

주공이 교만하고 인색했다는 말이 아닌 것은 알지?
논어

교만하지 말고 겸손하라는 공자의 말씀을 잘 새겨 듣자.

유교

《논어》 깊이 읽기

공자가 살았던 시대

공자는 춘추전국시대에 살았습니다. 춘추전국시대는 기원전 8세기부터 기원전 3세기에 이르는 시기로, 주왕조가 서북방 기마 민족의 침입으로 수도를 동쪽에 있는 뤄양(=낙양)으로 옮긴 기원전 770년부터 시작합니다. 이 시기를 기준으로 그 전시대를 서주, 그 이후를 동주라고 부릅니다. 동주시대가 춘추전국시대에 해당합니다.

춘추전국시대의 전반부를 춘추시대라고 부르고, 후반기를 전국시대라고 부르는데, 춘추시대와 전국시대를 하나로 붙여서 부르기 때문에 비슷한 느낌을 주지만, 사실은 많이 다릅니다. 공자가 살았던 춘추시대만 하더라도 제후국이 100여 개나 있어서 전통적 기풍이 강하게 남아 있었으나, 전국시대에는 강한 나라가 약한 나라를 합하여 진, 초, 연, 제, 한, 위, 조 이른바 '전국 7웅'이 성립했습니다. 전국시대는 7대 강국(=전국 7웅)이 장기간에 걸친 혈전에 들어갈 무렵이었기 때문에 춘추시대보다 분위기가 훨씬 살벌하다고 생각하면 됩니다. 공자는 춘추시대에 살았습니다.

주나라는 천자가 왕실의 친족과 공신을 중요한 지역에 제후로 파견하여 다스리도록 하는 봉건제도를 실시했습니다. 봉건제도 아래에서는 '천자를 중심으로 – 제후 – 대부 – 사(대부) – 서인' 이라는 위계질서가 엄격하게 유지되었습니다. 천자는 황제 또는 왕을 말하고, 제후는 천자로부터 나라를 봉토로 받아 제후국을 다스리는 사람이며, 대부는 제후로부터 땅(식읍)을 나누어 받은 일종의 귀족으로 나라 안의 작은 나라라고 할 수 있는 작은 성읍을 가지고 있습니다. 사는 그러한 식읍을 받는 것이 아니라 월급과 같은 '녹'을 받는 계급으로, 요즘으로 보면 공무원과 같고, 서인은 말 그대로 일반 백성입니다.

▲ 공자

그러나 동주시대에 오면서 봉건제도가 해체되었고 사회의 질서가 어지러워졌습니다. 이때부터 제후국 가운데 가장 세력이 강한 자나 심지어 힘이 있는 대부가 실질적으로 지배하면서 형식상으로만 천자를 받드는 모양이었습니다. 공자가 살았던 시대에는 이미 천자의 권위가 떨어진 지 오래되었습니다.

춘추전국시대에 이러한 정치적 변동이 일어날 수 있었던 것은 농업 생산력이 향상된 것과 관련이 있습니다. 춘추시대 말기에는 철기가 발명되었고, 전국시대에는 소를 부려 밭을 가는 우경으로 황무지가 개간되었고, 제방을 쌓아 물로 인한 재난을 막고 저수지를 만들어 농경지에 물을 인공적으로 공급하는 치수관개 공사도 각 나라에서 시행되어 경지 면적이 넓어졌습니다. 농업생산력이 높아진 것은 수공업과 상업의 발달로 이어졌고, 나라를 부강하게 하고 군사를 강하게 하는 부국강병이 국가의 목표가 되었습니다.

이런 변화는 그전까지 중요하게 생각되던 사회적 가치가 무너뜨리기도 하였으며, 가문의 배경이 없더라도 본인의 재능으로 활약할 수 있는 길이 열리기도 했습니다. 군주나 힘 있는 사람들 측에서도 부국강병을 위하여 널리 인재를 구할 필요가 있었기 때문에 다른 나라에서 온 사람들로 등용하는 경우가 많았습니다. 공자가 14년 동안이나 여러 나라를 돌아다닌 데에는 이러한 사회적 배경이 자리 잡고 있습니다.

유교

'유교', '유학', '유가'라고 불리는데, 중국을 대표하는 사상입니다. 유학이라고 하면 학문의 일종이라는 의미를 가지며, 유교라고 하면 가르침을 강조하는 경향이 있으며, 중국의 여러 사상과 구분하여 일컬을 때에는 유가라고도 합니다. 보통 유교를 공자가 창시했다고 하지만, 전적으로 그가 새롭게 만든 것은 아닙니다. 공자를 유교의 시조로 생각하는 것은 그가 당시의 학문을 모아 체계를 세우고 내용을 새롭게 해석했고, 이 후 수많은 제자들이 그의 가르침을 따랐기 때문입니다.

유교는 인仁을 최고 이념으로 삼아, '수신제가치국평천하修身齊家治國平天下'의 실현을 목표로 하는 일종의 윤리학이며 정치학입니다. 수신제가치국평천하는 '사람은 자신을 올바르게 수양하면 가정을 잘 이끌 수 있고, 가정을 잘 이끌어 갈 수 있으면, 나라를 바르게 다스릴 수 있으며, 나아가 세상을 평화롭게 만들 수 있다는 뜻'입니다.

유교는 수천 년 동안 동양 사상을 지배해 왔습니다. '인'과 '예'와 같은 어려운 개념은 정확히 모르지만 '인자하다', '예의 없다' 등의 말을 늘 사용하면서 유교 사상을 몸으로 익혀 왔다고 볼 수 있습니다. 유교는 동북아시아 사람들이 모두가 공유하고 있는 '문화적 공기'라고 할 만합니다.

중국 고대의 대표적 유교 사상가는 공자와 맹자입니다. 맹자는 공자보다 100년쯤 뒤에 인물로 공자를 숭배하고 공자의 학문을 배워 유교에서 두 번째로 중요한 사상가가 되었습니다. 그는 인간의 본성은 원래부터 착한 것이어서 사람은 누구나 다른 사람을 측은하게 생각하는 인仁, 부끄러워하고 옳지 않은 것을 미워하는 의義, 사양하고 양보하는 예禮, 옳고 그름을 구분하는 지智의 마음의 실마리를 가지고 있다고 생각했습니다. 그는 아름답고 이상적인 세상을 만들기 위해서는 이 네 가지 실마리 마음을 학습과 수양을 통해서 넓히고, 강화해야 하며, 정치 또한 힘으로 남을 복종시키는 패도정치를 행해서는 안 되며 덕으로써 백성들을 복종시키는 왕도정치를 펼쳐야 한다고 주장했습니다. 그는 공자처럼 자신의 사상이 구체적인 정치를 통해 실현될 수 있기를 꿈꾸었지만 당시의 제후들은 그의 말에 설복만 당할 뿐 실천하지는 않았습니다. 그러나 오랜 시간이 흐른 후 그의 철학은 재해석되어 공자의 철학과 함께 중국을 다스리는 통치이념으로 영향을 끼치게 됩니다.

▲ 맹자

우리나라에 유교가 언제 전래되었는지는 확실하지 않으나, 고구려는 372년 태학을 세웠고, 백제는 285년 왕인 박사가 《논어》와 《천자문》을 일본에 전한 기록으로 보아 그 이전에 유교가 전래된 것으로 추정됩니다. 당시에 유교는 유능한 관리를 양성하는 데 목적이 있었습니다. 고려 시대에는 불교를 중시하는 정책으로 유교는 잠시 침체 상태에 빠지게 됩니다. 조선은 나라를 세울 때부터 유교를 숭상하고 불교를 억압하는 '숭유억불' 정책을 펼쳐 유교가 크게 발전했습니다. 조선 시대는 유교의 나라라고 할 만큼 모든 부분에서 유교의 영향은 절대적이라고 할 수 있습니다. 근대 이후 우리 사회에서 유교의 영향은 많이 감소했지만, 부모에 대한 효도, 국가에 대한 충성, 높은 교육열, 예절을 중시하는 것 등과 같은 유교에서 비롯된 우리 문화의 중요한 특성들은 여전히 남아 있습니다.

한비자(?~기원전 233)

한비자는 중국의 법가 철학자입니다. 법가는 유교의 사상과 대립하면서 발달한 사상으로 진秦나라와 한漢나라가 중국을 통일하는 데 크게 기여했습니다. 법가는 도덕이 아니라 법으로 나라를 다스려야 한다고 주장했습니다. 법가의 주장은 왕권을 강화하여 절대 군주적 정치제도를 확립하는 데 궁극적인 목적이 있었으며, 이를 한비자가 체계화했습니다.

한비자는 전국시대 말기 한韓나라의 귀족 출신입니다. 한비자의 나라는 중국을 통일한 한漢나라와 다릅니다. 한비자의 한나라는 전국시대의 여러 나라 가운데 가장 작고 힘이 약한 나라였습니다. 서쪽에 이웃한 진나라와 남쪽의 초나라로부터 여러 차례 침략을 받았고 진나라의 침략이 거세지던 기원전 256년경에는 영토의 반을 잃어 나라가 위기에 처한 상태였습니다. 한비자는 한나라의 왕에게 나라를 부강하게 하기 위한 방법을 건의했으나 그의 주장은 받아들여지지 않았습니다. 그는 어려서부터 대화가 어려울 정도로 심한 말더듬이어서 주로 글을 적어 자신의 의견을 전달했다고 합니다. 그런 이유에서인지 그는 탁월한 문장력을 지녔습니다. 그는 자신의 주장이 받아들여지지 않자 자신의 부국강병책을 책으로 썼습니다. 그 책이 《한비자》이기도 합니다. 진나라의 시황제(진시황)은 《한비자》를 읽고 크게 감동하여 그를 칭찬했다고 합니다.

한편, 한나라는 나날이 쇠약해져가고 있

었는데 기원전 234년에 진나라로부터 큰 침공을 받았습니다. 한나라 왕은 진시황이 좋아하는 한비자를 사절로 보내 위기를 넘기려고 했습니다. 진시황은 한비자를 보고 매우 기뻐하여 그에게 높은 직위를 주려고 했습니다. 그러나 진나라의 승상이자 한비자와 같이 '순자'에게 배웠던 '이사'가 왕의 총애를 잃을까 두려워 한비자를 모함하여 투옥시켰습니다. 진시황이 자신의 잘못을 깨닫고 한비자에게 석방 명령을 내렸을 때는 한비자가 이미 자살하고 난 뒤였습니다.

한비자는 '인간은 기본적으로 이기적인 존재'라고 생각했습니다. 수레를 만드는 사람은 모든 사람이 부귀해지기를 바라고 관을 짜는 사람은 사람들이 일찍 죽기를 바라는데, 이것은 수레를 만드는 사람이 착하고 관을 만드는 사람이 나쁘기 때문이 아니라, 사람들이 부자가 되지 않으면 수레가 팔리지 않고 사람들이 죽지 않으면 관이 팔리지 않기 때문이라는 것입니다. 인간의 이런 본성을 그냥 두면 사회는 혼란과 무질서로 가득 찰 것이므로 엄격한 법과 가혹한 처벌로 사회를 평화롭고 화목하게 만들어야 한다고 주장했습니다.

▼ 진시황

이러한 그의 주장은 현실적으로 아주 효과가 있어서 진나라가 중국을 통일하는 데 큰 역할을 하게 된 것입니다. 그러나 진나라가 2대 만에 망하고 한나라가 법가 사상을 버리고 유교로 되돌아 간 것을 들어 법가의 한계를 비판하기도 합니다. 즉 도덕을 통해 백성 스스로 질서를 유지하는 것이 아니라 법이 무서워 질서를 지키는 것은 난세에는 큰 기여를 하지만, 나라가 어느 정도 안정된 후에는 의미를 가질 수 없다는 것입니다.

노자

'장저'와 '걸닉' 같이 숨어 사는 것을 선택했던 은자 가운데 가장 대표적인 사상가가 노자입니다. 노자는 언제 태어나서 언제 죽었는지, 그의 생애에 대한 기록은 매우 불분명하고 때로는 전설적이기도 합니다. 많이 알려진 것으로는 노자는 공자와 비슷한 시기에 살았고 주나라의 '도서관장'과 같은 벼슬을 했으며, 공자가 젊었을 때 낙양으로 노자를 찾아가 예에 대해 가르침을 받았다는 것 정도입니다.

사마천의 《사기》에 의하면, 주나라가 쇠약해지자 노자는 그곳을 떠나 '함곡관'이라는 성문을 지나게 되었습니다. 함곡관은 국경을 출입하는 사람들을 조사하는 곳이었는데 그곳을 지키는 윤회라는 사람이 노자의 정중한 언행을 보고 보통사람이 아니라고 생각하여 노자를 초대하여 차를 대접하며 다른 나라로 갈 수 없다고 하였습니다. 노자가 말했습니다. "나는 다른 나라에 가는 것이 아니라, 세상을 떠날 것입니다. 당신이 나에게 베풀어 주신 차 한 잔에 대한 사례로 죽간이 들어 있는 자루를 드리겠습니다." 윤회는 "존경하는 어르신, 당신이 지금 생각하시고 계신 것을 써 주시지 않으면 당신을 놓아드리지 않겠습니다."라고 간청하자 노자는 약 5천 자의 글을 죽간에 써주고 홀연히 검은 소를 타고 떠났다고 합니다. 이것이 유명한 노자 《도덕경》입니다.

▾ 노자

노자는 "최고의 선은 물과 같다."고 했습니다. 세상에 물보다 부드럽고 약한 것은 없으나 굳고 강한 것을 공격하는 데 물을 이길 것은 없으며 그것을 대신할 것은 없다고 생각합니다. 큰 나무는 풀보다 강하지만 태풍이 불면 부러집니다. 약한 풀은 태풍에 넘어질 뿐 부러지지 않습니다. 사람의 입 속에서 강한 것은 치아이고 부드러운 것은 혀인데, 나이가 들면 강한 치아는 빠지지만 혀는 그대로 있는 것처럼 사람들은 흔히 강한 것만을 좋아하나 물처럼 약하고 부드러운 것이 진정으로 강한 것이라고 생각한 것입니다.

사람들은 흔히 있는 것有을 좋아합니다. 노자는 없는 것無의 쓰임에 대해서도 생각했습니다. 그릇에 빈 공간이 없다면 물이 담기지 않고, 방안에 빈 공간이 없다면 사람이 살 수 없다는 것입니다. 노자가 생각하기에 그 당시의 혼란은 군주가 백성들을 위해 옳은 일을 하지 않고, 예가 없기 때문에 생긴 것이 아니고 군주들의 지나친 욕심으로 너무 많은 일을 벌이려는 데 있다고 보았습니다. 공자가 강조하는 '예' 역시 세상을 어지럽히기만 하는 것이라고 생각했습니다.

그래서 노자는 자연스러운 삶을 강조합니다. 인간 세상의 대부분은 억지로 무언가를 만들고 꾸미는 데서 문제가 생김으로 어린아이와 같은 사람이 최고의 덕을 가진 사람이라고 보았고, 심지어 "지식과 분별심이 나타난 뒤에 커다란 거짓이 생겨났다."고 주장했습니다.

오랫동안 소수자들의 철학이었던 노자의 사상이 21세기에 들어와 동 · 서양을 막론하고 인기를 끌고 있습니다. 세상에서 추구하는 돈이나 명예, 권력 같은 것은 아무 쓸모없는 것이므로 자연스럽게 조화를 이루며 살라는 노자의 가르침이 세상사에 지친 사람들에게 위로를 주기 때문인 듯합니다.

군자와 소인

《논어》에는 '군자'와 반대되는 의미로 '소인'이라는 말이 많이 나옵니다. 《논어》에 나오는 소인은 나이가 어린 사람이나 키나 몸집이 작은 사람이 아니라, 사물을 너그럽게 용납하여 처리할 수 있는 넓은 마음과 깊은 생각, 즉 도량이 적고 간사한 사람을 일컫는 말입니다.

군자가 인격자를 말한다면 소인은 비인격자를 말한다고 할 수 있습니다. 이런 의미는 《논어》에만 한정된 것이 아니라 우리 사회에서 일반적으로 통용되는 뜻입니다.그럼, 군자와 소인은 어떻게 다를까요? 《논어》에 나와 있는 말들을 통해 알아봅시다.

"군자는 남에게 베풀 것을 생각하지만 소인은 이익을 생각하며 군자는 제 잘못을 생각하지만 소인은 다른 사람을 탓한다." (이인편)

"군자는 남의 장점을 완성되게 하고, 남의 단점을 고쳐주지만, 소인은 그 반대로 한다." (안연편)

"군자는 의리에 밝고 소인은 이익에 밝다." (이인편)

"군자는 섬기기는 쉽지만 기쁘게 하기는 어렵다. 군자는 도리에 맞지 않으면 기뻐하지 않기 때문이다. 그러나 군자가 사람을 부릴 때는 아랫사람의 그릇에 맞게 부리기 때문에 섬기기 쉽다. 그러나 소인은 섬기기는 어렵지만 기쁘게 하기는 쉽다. 이는 소인은 도리에 맞지 않은 방법을 써도 기뻐하기 때문이다. 그러나 소인은 아랫사람에게 모든 재주를 다 갖추고 있기를 요구하기 때문에 섬기기 어렵다." (자로편)

"군자는 태연하지만 교만하지 않고 소인은 교만하지만 태연하지 않다." (자로편)

"군자는 이치에 따르므로 시간이 지날수록 높은 차원으로 발전하지만 소인은 욕심만 채우고자 하므로 후퇴한다." (헌문편)

"군자는 자기완성을 기준으로 행동하고 소인은 남의 평가를 기준으로 행동한다." (위령공편)

"군자는 마음이 넓고 안정적이지만 소인은 조급하고 걱정이 많다." (술이편)

공자의 모습은 군자에 가깝지만, 우리의 모습은 소인에 가깝습니다. 어떻게 하면 조금이라도 더 이득을 얻을 수 있을까를 생각하고, 조금이라도 편하게 살려 하면서, 다른 사람들의 한마디에 어찌할 바를 몰라 근심스러워하는 것이 보통 사람들의 모습 그대로입니다. 공자는 소인에서 벗어나 군자와 같은 사람이 되라고 권합니다. 그러나 요즘의 어떤 사람은 이익을 챙기고 편안하게 살려고 하는 것이 무엇이 나쁘냐?, 자연스러운 것 아닌가?라고 반문하면서 당당하게 자신의 이익에 따라 움직이는 지혜로운 소인이 되라고 주장하기도 합니다. 여러분은 어떤 사람이 되고 싶습니까? 군자입니까? 소인입니까? 또다시 묻습니다. 군자가 되고 싶은 사람이 많은 세상과 소인이 되고 싶은 사람이 많은 세상, 여러분은 어떤 세상에 살고 싶습니까?

논어

서기남 글 | 신명환 그림

01 《논어》는 누구의 말과 행동을 기록한 책일까요?

① 공자 ② 맹자 ③ 손자
④ 노자 ⑤ 한비자

02 공자의 사상을 바탕으로 발전한 학문은 무엇일까요?

① 도가 ② 법가 ③ 유가
④ 명가 ⑤ 음양가

03 다음 괄호 안에 공통으로 들어갈 말은 무엇일까요?

• 열 가구 정도가 살고 있는 아주 작은 마을에서도 나보다 충성스럽고 믿음직한 사람이야 있을 터이지만 나만큼 (　　　)를 좋아하는 사람은 없을 것이다. 〈공야편〉

• 인을 좋아하면서 (　　　)를 좋아하지 않으면 어리석은 사람이 되고, 지혜를 좋아하면서 (　　　)를 좋아하지 않으면 방탕한 사람이 되고, 믿음을 좋아하면서 (　　　)를 좋아하지 않으면 남에게 해가 되고, 정직을 좋아하면서 (　　　)를 좋아하지 않으면 각박해지고, 용기를 좋아하면서 (　　　)를 좋아하지 않으면 난폭해지고, 굳센 것을 좋아하면서 (　　　)를 좋아하지 않으면 과격해진다. 〈양화편〉

① 배우기 ② 실천하기 ③ 배려하기
④ 효도하기 ⑤ 생각하기

04 공자는 기원전 551년 중국 노나라에서 태어난 사람입니다. 공자가 살았던 시기를 무슨 시대라고 부를까요?

---

05 《논어》는 모두 1만 자 정도의 한자로 되어 있습니다. 그중에서 가장 많이 나오는 '이것'은 모두 106번이나 나오는데, 공자 가르침의 핵심이라고 할 수 있습니다. 이 글자는 무엇일까요?

① 예(禮) ② 용(勇) ③ 신(信)
④ 효(孝) ⑤ 인(仁)

06 공자가 생각하는 올바른 정치는 어떤 모습이었을까요?

① 백성의 뜻에 의해 대표를 선출하고 백성의 정치 참여를 최대한 보장하는 정치
② 말없이 가르치고 좋은 방향으로 이끌어서 백성들이 안심하고 살 수 있게, 하지만 백성들은 왕이 누구인지도 모르는 정치
③ 형벌과 법을 엄격히 세워 나라를 다스리는 정치
④ 덕으로 백성을 감화시키고 어짊과 의로움으로 백성을 다스리는 정치
⑤ 국가나 정치권력의 강제가 없이 개인의 자유가 최대한 보장되는 정치

05 ⑤ : 공자 사상의 핵심은 인, 즉 어진 마음으로 다른 사람을 사랑하는 것입니다. 효는 인의 출발점이라고 할 수 있습니다.
06 ④ : ①은 민주정치, ②는 노자의 정치사상, ③은 법가의 정치사상, ④는 공자의 정치사상으로 덕치주의, ⑤는 무정부주의입니다.
07 안회 또는 안연 / 08 ③
09 불혹(不惑) : 욕망에 대해 흔들림이 없다는 뜻입니다.
10 옛것을 익혀 새것을 안다.

07 공자에게는 3천 명이 넘는 제자가 있었습니다. 그중 공자가 가장 사랑했던 이 사람을 공자는 '매사에 능숙하면서도 미숙한 사람에게 물을 줄 알고 넉넉히 알면서도 잘 모르는 이의 말에도 귀 기울일 줄 알았으며, 있어도 없는 듯하고, 꽉 찼으면서도 텅 빈 듯하며 누가 덤벼들어도 씩 웃고 마는 사람'이라고 표현하며, 그가 죽었을 때 '하늘이 날 버리시는구나.'라고 슬프게 통곡했다고 합니다. 이 사람은 누구일까요?

---

08 공자의 제자 자공이 좋은 사람이란 어떤 사람인지에 대하여 물었습니다. 이에 공자는 뭐라고 대답했을까요?

① 마을 사람들이 모두 좋아하는 사람
② 마을 사람들이 모두 미워하는 사람
③ 마을의 좋은 사람들이 좋아하고 마을의 좋지 않은 사람이 미워하는 사람
④ 말과 행동이 민첩한 사람
⑤ 아버지가 양을 훔치면 정직하게 관가에 고발하는 사람

09 《논어》의 〈위정편〉에는 공자가 자신의 일생을 설명한 내용이 나옵니다. 우리나라 사람들은 나이를 말할 때 이것을 인용하여 자신의 나이를 말하기도 하는데, 흔히 50세를 지천명(知天命)이라고 부르는 것이 그 예입니다. 그러면 40세는 무엇이라고 할까요?

10 《논어》의 〈위정편〉에 나오는 '온고지신(溫故知新)'이라는 말은 공자의 사상을 이해하는 데 중요한 의미를 지닙니다. 무슨 뜻일까요?

정답

01 ① / 02 ③

03 ① : 공자는 자신을 배우기를 좋아하는(호학=好學) 사람이라고 자신 있게 표현하곤 했습니다.

04 춘추전국시대 또는 춘추시대 : BC 770~476년은 공자가 편찬한 노(魯)나라의 편년체 사서 《춘추(春秋)》의 이름을 따서 춘추시대(春秋時代)라 하고, BC 475~221년은 대국들이 패자의 자리를 놓고 다투었으므로 전국시대(戰國時代)라고 합니다. 둘을 합쳐서 춘추전국시대라 부르기도 합니다.